KB171799

무지개 꽃 피다

인천광역시교육청중앙도서관
무지개 그림책 동아리 회원 공저

무지개 꽃 피다

발 행 | 2024년 6월 21일
저 자 | 김재순, 문근혜, 변홍수, 신혜란, 심홍윤, 이미선, 오솔길(장만순)
엮은이 | 인천광역시교육청중앙도서관
펴낸이 | 한건희
펴낸곳 | 주식회사 부크크
출판사등록 | 2014.07.15.(제2014-16호)
주 소 | 서울특별시 금천구 가산디지털1로 119 SK트윈타워 A동 305호
전 화 | 1670-8316
이메일 | info@bookk.co.kr

ISBN | 979-11-410-9086-9
본 책은 인천광역시교육청중앙도서관의
2024년 읽·걷·쓰 사업의 일환으로 제작된 도서입니다.
www.bookk.co.kr

목차

<무지개 꽃 피다> 를 펴면서

무지개 동아리 친구들을 만난 것은 2023년 가을, 중앙도서관 그림책 만들기에서였다. 줌 수업으로 진행되었고 마지막 날, 완성된 그림책을 받아보러 만났다가 그림책에 대한 열정과 사랑을 확인하고 그 자리에서 동아리를 결성했다.

감사하게도, 2024년 중앙도서관에서 무지개 그림책 동아리에 선정되었다. 현재 그림책창작을 위해 10명이 활동 중이다. 각자 개인적인 사정으로 <무지개 꽃 피다>에는 7명만이 참여하게 되었다. 기꺼이 귀한 원고를 보내 주신 무지개 동아리 회원님들께 감사드립니다. 출판 기회를 주신 인천광역시교육청중앙도서관에 다시 한 번 감사 인사를 드린다.

* 출판 준비를 하면서 동아리 회원님들의 글만이 아니라 마음까지 담을 수 있어 정말 행복했습니다.

1부 시를 쓰다

거울 속의 나 외 16편

김재순

프로필

나는 시를 좋아한다.
시를 쓰면서 위로받고, 상처받은 마음을 치유 받고 있다.
시는, 나의 영원한 친구이자. 동반자이다.

* 2023 <청라문학 19호> 공저(인천 청라 문학 회원 활동)
* 2023 하린 외 <우리에겐 그리움이란 환절기가 있다> 공저
* 2024 중앙도서관 무지개 동아리 회원(그림책 만들기)

시 안에 내가 있다

거울속의 나

추석이 다가오자 아버지 따라나선 이발관
키가, 작아 보조 의자를 올려놓고
긴 머리 가위와 빗으로 잘라내러 가며
비누 거품기 짧게 자른 밑머리에 바르고

거울에 비치는 액자
어미 돼지 한 마리에 새끼돼지 9마리
멜빵 청바지에 체크 남방을 입고 있는
목장 주인이 돼지 먹이를 주고 있다

비치는 옆 액자에는
삶이 그대를 속일지라도
알렉산드르 푸시킨하고
가을 풍경 위에 써 내려간 시

지방방송국 되어준 이발소
마을 이장 아들이 장가가서 손녀를 봤다
복남이댁이 월남 간 남편을 두고 춤바람이 났다더라
연탄불 위에 올려놓은 노란 주전자

끓어오르는 물처럼 식을 줄 모르고

들려오는 어른들의 이야기는 자장가로 들려오고
겨울 속 아이는 끄덕끄덕 고개가 앞으로 숙여지고
어둑어둑 해가 서산에 질 무렵
드르륵 이발소 문이 열리고

화들짝 놀란 아이는 거울에 비치는
흰 살 하얗게 밀어내는 상고머리에
눈물 두 방울이 무릎 위에 떨어진다

흑백사진이 그날 일을 기록하듯
집 마루에 걸려있는 가족사진 속에
그 아이가 억울한 듯 카메라를 쳐다보고 있다

<미발표>

부추꽃밭에 나비 날다

토요일 늦은 오후
오토바이는 뜨겁게 달리고 싶다
제물포 거리의 시원한 바람을 가르며
아스파트를 휘젓는 광음

도로 중심을 달리며 바람을 잡는다
시끌벅적한 동 인천으로
오는 차 가는 차가 보이지 않는 건널목 없는 곳

빛처럼 빠른 오토바이가 우리를 덮치고
밖으로 나온 맨살은 아스팔트 바닥에 갈리었다
쌩쌩 달리는 오토바이, 멋스러운 핸드백은 구겨진 종이

부추꽃밭 하늘엔 부모님 얼굴
근심이 가득한 얼굴로 땅을 굽어본다
메아리처럼 말이 번져온다

결혼 날짜 받아놓고 다리를 다치다니 큰일이야.
메아리 소리가 윙윙거리며 하늘에는 그 사람 얼굴이

비취어 아른거린다

원석을 보았다
바라보는 세상은
온통 보랏빛 물결이 흔들리고 있었다

그녀는 사람 구실을 멈추고 도로 가운데 누워있고
흰 바지 위로 오토바이 바퀴 자욱이 선명하다.
늘어진 그녀는 도로의 중심에서 갓길로 옮겨졌다

내가 사람이었을 때 잿빛 하늘이
잠시 접어둔 제물포 거리는 보랏빛 성
술에 잠긴 듯 온몸이 출렁거리는 몸
아, 반짝이는 불빛은 유리 글라스에 비치는 샹제리

머릿속에 고향은
부추꽃밭에 나비가
춤을 추듯 날아 다닌다
나비의 호흡이 되돌러 오고 <미발표>

그리움이 되다

빗줄기가 나의 뺨을 내리칠 때
백합꽃, 도라지꽃, 원추리 꽃
촉촉이 젖어 무거운 빗방울 맺혔다 떨어지는

그때도 이렇게 비가 내렸지
현관문을 들어설 때 낯선 사람인 양
문전박대하던 사람들

나를 쳐다보면 다시는 안 볼 것 같은
낯선 목소리로 으르렁거리던 낯빛

비를 맞은 자리엔 들깨, 강낭콩, 참깨가
한 뼘 자라서 있는데
어루만지던 주인의 손길만 비어 있다

이제는 이슬처럼 뚝 떨어진 당신
퍼붓듯 내리는 빗줄기에 흘러내리는 피
뿌리치는 아픔도 백옥처럼 하얗구나
먼 길 떠나겠다고 서두르시던 당신

차디찬 침묵이 침대 위에서 기웃거린다

매일 걸어 다니던 당신의 성터에
그날처럼 비가 내린다

<미발표>

꽃의 그리움

부처님 오신 날, 비가 내렸다
전철 문이 열릴 때마다
비 비린내가 풍겼다

연한 하늘색 원피스를 입고 있는 그녀
꽃다발을 안고 앉아 졸고 있다

안개꽃 안쪽 불두화
아기 부처처럼 천진하게 그녀를 올려 다 본다

그녀는 지금 꿈속에서 법문을 듣고 있을지도 모른다

향기마저 무소유인 불두화
묘한 미소로 활짝 피어있다

꽃 공양하러 가는 것일까

그녀가 부스스 눈을 뜨고 일어나자
꽃들이 내게 합장을 한다

<우리에겐 그리움이란 환절기가 있다·2023>

결핍

별이 사라졌다

그려지지 않는 별을
붙잡고 붓을 움직인다

반짝반짝 빛나는 별은 빛이 바랜 지 오래
나는 고흐의 〈별이 빛나는 밤〉 그림을 보고 있다

우주에 무수히 빛나는 코발트블루
채색된 은하계는 더는 평창 되지 않는다

편백 위로 솟아오른 별들
사다리 타고 올라가서 내 캔버스에 옮겨놓고 싶다

당신 없는 세계는 별들의 무덤

나만 바라보던 별
미생조차 없다
나의 별, 캔버스에만 뜬다

<우리에겐 그리움이란 환절기가 있다·2023>

그리다 실패한 초상화 눈매에 비치는 화가의 슬픔처럼

만신창이가 된 그녀의 몸에서 물혹들이 춤을 추고 있다
질겅질겅 씹다 버린 풍선껌처럼
스트레스 지수가 올라갈수록
늘어나는 혹들

반품 받은 그림 속 얼굴이
처연하게 나를 본다
어제의 비참보다 오늘의 비참이
더 명징하다

다람쥐 쳇바퀴 돌아가듯
빙글빙글 돌아가는 훌라후프
멈추고 싶다
그만두고 싶다

거대한 물혹 속 삶
자꾸 양성으로 치닫고 있다
병든 물고기처럼 헤엄쳐 다닌다
너무 적막하고 쓸쓸하다

<우리에겐 그리움이란 환절기가 있다·2023>

아버지 몸 안에 아버지만 아는 껍데기가 산다

어머니가 돌아가시고 채 일 년이 안 되었는데
아버지의 세 번째 여자가 집에 들어왔다
공을 들인 세 번째 여자
조금만 눈에 거슬려도 자식들을 몰아 세웠다

사대 독자인 아버지 몸속에는 유아독존 사내아이가
살고 있다
자식이 들어갈 여유가 없다
그러던 중 아버지는 폐암 말기 진단이 나오고
남아 있는 재산도 세 번째 여자에게 주고 싶었나 보다
병원비까지 자식한테 미루고
유산을 챙겨 달아난 여자
항의하는 나에게 달려와 넘어뜨려
왼쪽 팔이 부러졌다

중환자실에서 살가죽에 뼈만 앙상하게 남은
시체 같은 아버지
그 옆에는 세 번째 여자는 없었다
아버지 몸속에는 병들고 지친 껍데기가 헐떡거리고

한 해를 넘기는 해가 저물어 가고 있었다

<우리에겐 그리움이란 환절기가 있다.2023>

외로움을 대하는 태도가 다르다

너는 외로울 때 사람을 만나고
나는 조용히 버틴다

우리는 외로움 앞에 태도가 다르다

너는 적극적이다
노래를 한다
그림자까지 춤을 춘다

나는 기분의 온도 차가 다르다
저녁노을만 본다
그림자까지 감춘다

너는 슬픈 영화를 보면 눈물이 보이지만
나는 메마르고 건조한 눈가엔 물기가 없다

외로움이 사라진다
너와 내가 섞인다

버스 정류장에서

버스정류장에 사라진 대중교통 시스템

40분을 타고 가야 하는 버스는
한 끗 차이로 떠나가고
배차 간격이 없는 팻말 기다림만 왔다 갔다

띄엄띄엄 휘날리는 눈발이 날리고
옷매무새 정갈하게 입은 어머니
빨간 고무 대야이고 타시던 버스정류장

학교 수업 끝난 아이들이 교문 밖으로
내려오는 언덕 위에 늙은 나목 위로
휘몰아 돌고 돌아서는 눈발이 시리다.

보고 싶어도 볼 수 없는 시간 속 그림자
마음속 사랑은 풀어내지 못하고
흔적만이 상처 되어 우두커니 서 있는 푯말

<미발표>

아빠는 부재중

아빠의 얼굴은 모른다

내가 엄마 배 속에 있을 때
아빠가 엄마 배 속에 있는 나를 발로 차서
외할머니가 억지로 이혼시켰다

엄마가 힘들어할 때
키다리 아저씨가 되어준 아저씨
나는 아저씨가 우리 아빠이길

마음은 아저씨보다 아빠가 더 절실하다
아저씨는 다른 아줌마랑 결혼한 지 삼 개월
엄마랑 아저씨는 친구 사이고,
그래도 나의 아빠는 아저씨다

매일 기도를 한다
아저씨가 아빠가 되어 달라고

어느 날 아저씨가 술에 취해 비틀거리고
속으로 속삭인다.
이제는 혼자가 되었다고

<미발표>

아버지의 등

잊고 살았다 아니다
정확하게 말하면 지난 과거를
지워버리고 싶었다

큰집 제사가 있던 날
눈보라가 휘몰아치는 변덕스러운
겨울밤
턱이 와들와들 떨려오고

아버지는 나를 등에 업고
잠바로 네 머리끝까지 씌우고
거친 비바람을, 맞서나갔다

나무가 자라 그늘이 생길 무렵에
어머니가 돌아가시고
그 빈자리가 버거운 짐이 되었을까?
아버지의 등은 점점 숙연해지고
아무렇지 않게 집에 여자를 들이고
자기만 아는 볼품없는 노인이 되어갔다

아버지의 방황에 자식들은
마른 가지가 되어 뚝뚝 부러져 나갔다
화합은 사방을 둘러싸인 탱자 넝쿨

어긋난 실타래를 끝내 풀지 못하고
꼬챙이처럼 마른 아버지의 몸은
어디에도 어릴 적 아버지는 없었다

아버지의 등에 대해서 단 한 번도
거론하지 못했다

아니다 생각을 하고 싶지 않았을지도
모른다
어릴 적 아버지는 신적인 존재였다
지금은 어디에도 없는 아버지

<미발표>

안창리*

시냇물 흐르는
골이진 물가에

어우러진 그 벗이
시간을 몰아세워
이틀이 흘러가고

붉게 익어 가는 고추 위에
잠자리만 맴돈다
보라색 슬리퍼를 신고서

빨간 고추 파란 고추 고춧잎
하루 햇살에 가든 담아서
집으로 돌아가는 길

정신없는 슬리퍼는 내 발 등에
무지갯빛 내 운동화는
안창리 디딤돌에 덩그러니

구름도 머물러 가는 곳
촉촉이 내린 이슬방울
흠뻑 젖어 드는 안창리

*강원도 원주시 지정면에 있는 리 이름

<미발표>

풍선

빨강, 파란 무지개회화
구름을 타고 아련하다

견학 나온 유치원 아이 손에
풍선하나 손에 쥐고 있다 놓아버렸다

꿈 하나 놓아버린 듯
내 몸에 물 풍선 맞은 싸늘함이

맹목적인 사랑도 날아간 풍선처럼
허물어진 시간이 되어 사라지겠지!

쓰나미 구름도 서서히 물러나고
이제는 터질 것도 갈 곳도 없는 거리에
마음만 두둥실

<미발표>

가는 길

몸속 구석구석 뛰어다니는 맥박

나른해진 몸 내 안에 초침을 잃어버렸다
길가엔 아카시아 향기가 쉼표에 머문다

얼마만큼 더 가야 하나
초라해진 말 내 발등을 만지는 바람

너무 멀리 가 버렸다는 너의 말이 가시처럼 배긴다
거울 속 흘러내리는 얼굴 초점조차 없다

흙의 향기 마시듯 초록으로 오른 말과 말들

어디로 가는 길일까
몸속 깊이 보이지 않는 길을 들이 마신다

<청라문학19호· 2023>

울음의 재발견

가족들이 손을 흔들며
수술실의 문이 닫히고
함께 있었던 소년이 서럽게 울었다

소년의 울음소리가 오랫동안
복도를 걸어 다녔다

다음 수술을 받으려고
대기하고 있는 나에게
울음이 전이 됐다

나에겐 울어줄 소년도 없는데
링거 병이 울음주머니처럼 보인다

<청라문학19호· 2023>

친구를 기다리며

같은 소설책을 만지다 만났지!
내린다 소낙비가
향기가 먼저 맛을 느끼고
혀끝을 타고 도는 목마름
검정이 되고 싶다 핏속까지

고소한 쓴맛이 느낄 무렵
콘크리트 바닥에 앉아서 함께 읽었던 책
어니스트 헤밍웨이, 알베르 카뮈, 파브르 피카소
장폴 사르트르를 불러 들인다
그들 역시 카페에서 한가로움을 즐겼을 것이다

밤이 깊어 갈수록 적란운* 환한 빛
불안정한 두근거림이 걸어 다닌다

조심스럽게 건너는
혀끝을 자극하는 쓴맛과 고소한 말이
넘실거리듯 빗줄기를 타고 검은 파도가 되어
밀려왔다 밀려간다

창밖에는 우산을 쓰고 오가는 사람들
한걸음 먼저 나온 약속이 지나가고
창가에 매달리는 빗방울

커피가 식어갈수록 열어지는 향기를 비우며
그대를 기다리는 한 모금

<청라문학19호· 2023>

처음 울음

진통이 23시간째다

저당 잡힌 나의 자궁

큰 머리통이 턱 걸려 나올 생각을 하지 않는다

태양이 구름을 뚫고 나오듯
나를 찢고 나올 순 없었을까

긴급해진 의사 선생님이 선택지를 내밀었다

첫 울음소리가

<청라문학19호· 2023>

벚꽃 날다 외 2편

문근혜

프로필

글쓰기에 관심이 있고 자서전 작가가 되고 싶은 도전하는 삶을 살아보고자 노력 중이다. 올해는 독서지도사로 입문 과정에 있고, 아이들을 가르치고 싶고 무지개 동아리와 책 토커에서 문집 내는 것을 희망하고 있다.

*2024 중앙도서관 무지개 동아리 회원(그림책 만들기)
*중앙도서관 책 토커 동아리회원

나의 소소한 일상이 추억이 되다 찰칵

벚꽃 날다

바람처럼 가벼운
꽃잎들이 흩날리고

작은 꽃잎 하나가
사랑 노래를 시작해요

벚꽃 잎이 날릴 때마다
꿈도 함께 나는 듯해요

하얗게 빛나는 벚꽃 비는
봄의 기쁨을 전해주네요

나도 벚꽃 잎과 향해 자유롭게 날아다녀요

개나리

길가에 피어있는
귀엽고 순수한 개나리
환하게 미소 짓고 있네요

작고 뾰족한
병아리 입 닮은 개나리는

금방이라도 삐악 거리며
내 뒤를 쫓아 올 것 같네요

슬픈 목련

봄비에 젖어
바닥에 떨어져 있는 자목련

그 아래 서있는
슬픈 눈과 마주치면서

젖은 꽃잎에 손길을 건냈어요

더 이상 아파하지 말라고
서로에게
따뜻한 힘이 되어주었어요

약속 외 4편

신혜란

프로필

 딸에게 그림책을 읽어 주다, 그림책에 반해 그림책과 신나게 30년을 놀고 있습니다.
그림책을 더 다양하고 재미있게 오래 같이할 수 있을까 고민하다, 동화구연을 배워 어린이 친구들과 도서관과 센터에서 그림책도 보고 다양한 놀이도 하고요. 이제는 동시 놀이와 그림책을 이용한 놀이에 푹 빠져 있습니다.

[우리 오빠] 이야기를 시작으로 가슴 깊은 곳의 이야기들을 하나씩 보여주고 싶습니다.

*2024 중앙도서관 무지개 동아리 회원(그림책 만들기)

수많은 맏들이 다가와 꽃이 되었다.
나도 누군가의 마음을 설레게 하는 꽃이 되고 싶다.

약속

눈이 다 녹을 때
바람은
불자고 약속했지요.

봄바람이 불어올 때
꽃들은
피자고 약속했지요.

꽃들이 필 때
나비들은
날자고 약속했지요.

네가 손 내밀 때
내가 손 내밀 때
두 손 꼭 잡자고 약속했지요.

씨앗

씨앗아
단단한 껍질 속에
꼭꼭 숨어있는 씨앗아

살랑살랑 봄바람에
얼굴 내밀면
파란 하늘 보겠지

반짝반짝 봄 해님에
얼굴 내밀면
친구 얼굴 보겠지

무엇으로

꽃들은
씨앗으로

나무들은
푸르름으로

이 세상을
채우는데

난
무엇으로
널 채울까?

알았다. 알았어
웃음 가득한 행복으로

너를 보고

환하게 웃고 있는
너의 까만 눈을 보고
'눈이 참 맑다.' 했지

고운 소리 나오고 있는
너의 조그만 입술을 보고
'말이 참 예쁘다.' 했지

넘어진 친구에게 내미는
너의 작은 손을 보고
'마음이 참 따뜻하다.' 했지

너를 보고
내 손 내밀며
'친구 하자' 말했지

엄마

씨앗은 땅속 엄마 품에서
작은 새싹들이 되고

새싹들은 자연 엄마 품에서
꽃이 되고 나무가 되고

아기들은 우리 엄마 품에서
모두의 희망이 되고

이 세상에
엄마가 있어서
모두 모두
세상을 가득 채운다….

거꾸로 가는 시계 외 2편

심홍윤

프로필

노년의 삶을 행복한 인생으로 살고 있다. 이 나이에도 할 일이 있어 좋고, 나를 필요로 해주는 곳이 있어 감사하다. 많은 선물 중에서 잘 살았다고 받는 여행 선물이 가장 좋다.

시가 나에게 와서 피어났다.

거꾸로 가는 시계

교회 집사님 만나러 가다가
가스 불 걱정되어
허둥대며 되며 돌아온 집 앞

현관 비밀 번호가 기억나질 않는다
애타게 찾은 비밀번호 머릿속에는
하얀 눈 만 내린다

약속 시간 지우개로 지워 버린 체
리모컨 돌리고 티브이만 보고 있다

머릿속에 빨간 신호등 깜박깜박 불이 들어오고

지나 온 과거 기억 아는 듯 모르는 듯
고개만 기웃 거린다

지우개로 하나, 하나 지워가 듯 사랑했던
사람들 가슴에 잊었다

하얀 도화지에 거꾸로 가는 시계 그려놓고
동심으로 돌아간 노년의 여인은

어린 시절 젊은 어머니를 찾는다

멍하니 바라보는 먼 하늘
여인의 눈에,
눈물 한 동이 가득 고인다

버스 정류장

버스 정류장
문이 없는 공간

뒷모습만 남긴 체
버스에 몸을 싣고
일상을 시작 한다

많은 사람들이 쉬었다 곳,
정감이 살아있다

각자 가는 길이 다르지만
서민들의 진한 애환이 묻어있다

정류장은 수많은
발자취를 남기고

작은 공간 안에 우리들 삶을 간직하고 있다

동지선달

동지선달 진안 산골마을 어머니 텃밭,
싸라기 눈 흩으며 매서운 바람 분다

담벼락 감나무 밤새 흔들리며 울어 대고
늙은 어머니 몸 안 구석구석 산후 바람 속에
아이들이 하나 둘 자리 잡았다

산후풍 바람 아이들 흐르는 핏줄기 넘나들며

다발성 통증 바늘 찌르듯 쑤시고
그 속에 시린 염증이 생겨난다

산후 아이 등에 매달고
냇가 얼음물에 시리던 손등은 소나무 껍질 되었다

동지선달 텃밭에 어둠이 내려앉고
밤새 스치는 바람 소리에 외로움 잦아 든다

새벽 동트기 기다리며 한숨 섞인 신음 소리

방안가득 메아리만 불면이다

딱 걸렸다 외 2편

이미선

프로필

어린이도서연구회 회원으로 활동 중입니다. 헌책으로 업사이클링 하는 것을 좋아해서 그림책으로 입체북도 만들고 강의도 하고 있습니다.
첫 그림책으로 2023년 10월에 <오늘은 뭐하지?>로 첫 그림책을 펴냈습니다.

*2024 중앙도서관 무지개 동아리 회원(그림책 만들기)

글꽃과 그림바다가 자꾸 나를 부릅니다

딱 걸렸다

쉬는 시간
급했다
귀찮았다.

수돗가로 달렸다
아무도 없었다.
오줌을 쌌다.

돌아서 나오는데
선생님께 딱 걸렸다.

진분홍색 블라우스가
민망해졌다.

들켜버린 이름표
얼굴은 빨갛고
누구 볼세라
땅만 꺼지게 보았다.

그림일기

오늘은 무엇을 그려야 하나
내 그림일기 숙제.

기다리고 기다려온 방학인데
벌써부터 머리가 아프다.

숙제 없는 방학은 없나
선생님은 좋겠다.
검사만 하면 되니까.

어느 저녁나절

하늘빛이 산 너머로 돌아가는 시간
집집마다 피어오르는 연기 속에
하나 둘 전깃불을 밝히면
작은 마을은 따스한 온기로 채워진다.

멀리서 아무개야 부르는 소리
때가 되면 불러주는
언제 들어도 정겨운 엄마 목소리
친구랑 인사를 하고 돌아서면

그림자가 먼저 앞장을 서고아이는 따라잡으려
뜀박질을 한다.

눈부시게 타오르는 저녁 하늘은
가던 발길을 멈추게 하고
아이는 집에 가는 것도 잊었다.

놀고 있던 아이들이 떠나고
하늘 가득 붉은 빛깔이 물들어 갈 때
오래된 소나무 몇 그루가
그 자리에서 빛으로 그린 그림이 된다.

방 안의 긴 벽시계는 쉼 없이 가고
콩나물시루에서 떨어지는 투명한 물소리
소담하게 차린 저녁밥상은
식구들이 기다리는 시간이다.

바람이 문풍지를 흔들고 지나가면
토방 위에서 끙끙 거리는 강아지 소리
문밖에 고양이는 마루를 긁고
뒷마당에 참새들은 잠들었는지 기척도 없다.

비누의 집 외 22편

오솔길(본명: 장만순)

프로필

간절한 소망처럼 바람을 잡고 싶었던 시절이 있었다. 그러나 이제는, 바람 속에서 숨 쉬며 바람이 되어 있다. 많은 사람들을 만나고, 그 속에서 나는 바람으로, 바람꽃으로 성장하고 있다. (그 동안 실렸던 작품들을 보니 부족한 점들이 많아 조금씩 퇴고해서 실었다. 그 점 양해 바랍니다.

* 2023 <청라문학 19호> 공저(인천 청라 문학 회원 활동)
* 2023 하린 외 <우리에겐 그리움이란 환절기가 있다> 공저
* 2024 중앙도서관 무지개 동아리 회원(그림책 만들기)

시가 춤을 춘다

비누의 집

눈 귀 막은 설레는 살덩이
그의 손에 이끌려
깊은 포옹의 아찔함이
매끈한 등을 버겁게 미는 첫 통증이 흘러요

움직일 때마다
옷에 스민 체취를 등에 묵은 허물을 만져요
기억에 묻은 얼룩 지우고 싶다면
손에 힘을 깊게 더 깊은 살점으로
내 몸을 만지는 손가락에 떨리는 숨이 묻어나요

미련으로 구부러진 시계는 끝이 없을 비밀들로 멈추질
않고
멈춤을 두드리는 시간 속에
작아질수록 커져가는 균열들
그 사이엔 보듬어 주는 물의 위로가 있어요

아주 가끔은 물고기처럼 미끄러져
태어나자마자 사산된 꿈을 꾸기도 해요

구름 같은 개구리 알 같은 혹은 무지개, 빛 닮은
터지는, 뽀얗게 널린 운동화가 바라본 하늘, 아기
엉덩이를 문지르던 엄마의 눈빛, 미끄럼틀을 타던
어린아이의 까르르 웃음소리, 손에서 빠져나온
미꾸라지의 등, 젊은 시냇물이 자라는 언덕배기 나무들

깨고 나면 뜨물 같이 버려지고 희미해진 묵은 살점
갈라지고 물컹해진 시간의 부스러기 몸들 모여요
뭉그러진 얼굴 고름 흐르는 팔 부러진 뼈 조각들 기어
다니는 내장
어색한 허벅지의 질문들이 부르는 슬픈 교미
 커피 스타킹
 빨간 하이힐이 그린 오피스텔

(미래시학 2016. 겨울 호 일부 퇴고 했음)

화이트홀이 꼬리를 물다

등에 찍힌 문신 바라보다
휙 던져진 한 사람 모래 늪에 빠졌다

자유라는 이름의 주머니 속 나태는
나풀거리는 먼지로 쓰여진 첫줄,
발로 적당히 구겨왔던 양심 쪼가리가 키운 나이테는
잘근 잘근 씹어야 맛이라던,
도마 위 못나게 헐떡거린 혀의 식탐으로 커간다

겨드랑이에 끼고 다녔던 푸르렀던 고뇌는
쌓여진 책 무게에 눌리고
줄 끊긴 얄팍한 생각의 매듭들이 말 줄임 표로 찍힌다
포장된 차가운 말들은
전자렌즈에 돌려도 채워지지 않는 인스턴트의 허기
문장이 되지 못한 불구의 글은 책상 앞에서
먹다 남긴 지식을 주워 먹는 하이에나로 기웃 거린다

현실에서의 이상은 물에 젖은 화장지처럼 쓸모없이
구겨지고

생각 없이 쌓았다가 무너진 벽은 하루의 마침표까지
무너뜨린다

물음표만 던지며 따라 다녔던 고개 숙인 삶의
순간들이 부끄러운 기름 찌꺼기가 된다

다 태우고 난 잿더미 속에서
더듬거리지 않는 언어들이 살아 움직이고
말의 화살표들이 과녁을 향해 헤엄친다

맨발 위 붉은 눈밭이 다시 써내려갈 길이
고개 들고
한 점이 다른 점을 일으켜 새운다

(미래시학 2016.겨울 호, 일부 퇴고했음)

시베리아고양이

팽팽하게 조율된 현을 건드렸다

꽃잎 타고 날아든 서툰 바람 한 잎

동그란 눈 속의 바늘이 시간을 알리고

떠밀리듯 괘씸한 이빨 숨기지 못한 체

보드라운 털 속에 숨겨둔 날카로운 발톱

봄의 손 등을 할퀴고 달아났다

뜨겁게 그어진 꽃불은 꺼질 줄 몰랐고

몸 묶인 돌 틈에서 속울음 삼킨 눈 속 너도 바람꽃

시린 채터링*이 내리고 있다

*채터링-고양이는 다양한 울음소리를 통해 자신의 감정을 표시한다.

까치가 내는 소리처럼 고음의 '깍' 또는 '까각' 거리는
이상한 소리를 내는데 영역을 침범 당했거나 사냥감을
발견해 흥분했을 때, 창밖에 새나 햇살이 잡히지
않았을 때의 안타까움, 좌절하거나, 경고할 때
본능적으로 내는 소리다

(미래시학 2018. 여름 호)

잠자리물고기 *

잡힐 듯 잡히지 않는 미끌거리는 눈이 이미 던져지고
있어
날아다니는 너라는 곁눈

빗금 안을 벗어나지 못하고 세상이라는 낚시대로
길들여졌어
우리가 우리를 옭아매는, 우리가 우리를 가두는
그물이야

산소 줄을 매달고 있는 투명 공간
살찌운 덩어리들의 가격이 결정 되고
덥석 잡힌 비굴한 이름들은 뼈 속에서 자라는 통증
꼬리의 마지막 흔적들이 저울 위에서 숨 막히는
목소리를 본다

죽는 줄도 모르게 칼날은 섬뜩한 살과 뼈의 단절을
신속하게

주위를 맴돌던 낙하점들이 날개의 질문들을 물고

주는 것만 받아먹으려는 동공 잃은 습관이 착각
속으로 가라 앉는다

메말랐던 가슴에서 뾰족한 차이들이 피어나고
무뎌졌던 생각들에서 가려운 응시의 귀가 기어 나오면
익숙한 겨드랑이에선 늘어진 지느러미와 부레가
잘려나간다
새롭다는 건 낯선 것과의 단지 작은 부딪침들,
남아있는 눈들이 엉킨 수면들을 깨운다

뿌연 안개만 스멀거렸던 그늘진 수족관
날 주름의 포말들 속에서 하나의 날개 짓이 떠돈다
비릿한 결 파피루스

* 잠자리물고기-자유를 상징하는 상상의 물고기다.
수족관이라 작은 공간 안에 갇혀있는 물고기를 통해
억압된, 결코 자유로울 수 없는 인간의 삶, 나를 본다.
나는 아직 수족관에 있는가? 질문해 본다.

(미래시학 2018. 여름 호. 일부 퇴고했음)

유리행성

늘 지는 것은 내 몫

글러브 없이 무방비로 받아내는 폭력의 사각 링
말의 망치가 파고들어 딱딱하게 굳어버린 심장
허파에 가득 담겨진 화의 말들을 한꺼번에 쏟아낸다

수도꼭지는 가족이라는 검붉은 토사물을 토해내고
그릇들도 불안해서 조심스런 발끝으로 숨죽였다

그래서 불렀다 붉은 망에 둘러싸인 내 행성의
양파들을

단단한 일곱 겹의 갑옷을 벗기면
무한정 뽑아내는 수액처럼 쓴 눈물을 대신 흘려주는
너를 핑계로 눈물 폭탄을 토해내는
작은 분화구에 숨겨 둔 노래를 흔들어야했다

미련스럽게 참았던 것들 겹겹이 쌓인 응어리들
벗겨야지 둥글게 말린 여린 속살 벗겨야지 굳게 담은

입술을 벌려야지 꽉 채워진 틈 속에 맺힌 경계를
무너뜨려야지 낯선 단절을 지켜야지 숨 쉬는 석회
집들 그 위에 살아낸 오늘의 깃발을 불러야지

아무 일도 없었던 듯 목구멍에서 말의 벌레들이
의무감으로 기어 나왔다

가족이라는 위험한 유리 위에
상처가 무기인 행성들이 위태롭게 돌고 있다
밥그릇에 담겨있는 거울들을 씹었다 뾰족한 모래가
혀를 씹었다

동그라미를 그렸다 행성 하나가 나타났다

그 속에 아무것도 없었다
흔한 씨앗조차
처음부터 없었을 수도 있었다

(미래시학 2019. 가을호. 일부 퇴고했음)

수박.1

이때다

끌려가지 않고 당당히 머리를 내어줄
상처의 진물이 아물기 전에
여물지 못한 삶의 멀미로 목은 타들어가고
속으로 속으로만 꽃처럼 붉어지는데

표적이 된 두드림은 예고 없이 들이닥쳐
잘려나간 탯줄이 배꼽의 인장을 찍어낸다

쩍 갈라진 붉은 탄성
칼날이 두렵지 않은지 시퍼런 태속의 감았던 검은
눈, 부릅뜬다

주먹 쥔 눈물 칼끝에 스며들고
두 동강 난 힘줄, 중심 잃고 넘어 진다
썩썩 베어지는 살덩이 꿈틀거리는 비릿한 단내를
삼키고
포식자의 휘어감은 혓바닥에

숨겨진 살의가 피 속으로 스며든다

낡은 신문지에 드러난 낯익은 얼굴들은
도마 밑에 깔려있고
사람들의 얼굴에서 가슴으로 핏물이 번지고
흰 이 드러낸 눈 속으로
한낮의 마지막 웃음들이 포즈 위에 서있었다

혼자서 뜨거웠던 4월의 봄은 삭제되는 날짜들을
지워내고

찰칵 찰칵
바이 바이

(미래시학 2020.봄 호 일부 퇴고했음)

용산 급행

루이까또즈에 매달린 와이셔츠가 축축하게 흘려요
참았던 운동화 코에 울컥한 울음이 고여요

금기의 공간을 지키려고 질끈 귀들을 묶고 있는데
풀 먹은 퇴근에 가방들은 늘어져있는데
자기들을 봐달라고 손잡이들은 가만히 내 눈을
두드려요

반대편 창가에 비친 연민들에 애써 고개 숙이고
핏기 없는 머릿속들을 휴대폰이 대신 읽어 내려가고
있어요

우산이 흘리고 있는 눈물들을 모르고 있어요

직장에서 그 동안 수고하셨다는 무서운 칼끝에 베
였나요
퇴근 뒤에도 무참히 뿌려지고 거절당한 서류뭉치에
눌려있나요
애인이나 가족에게 받은 얼음송곳이 심장에

박혀있나요

입을 틀어막아도 새어나오는 한숨의 수증기와
퉁퉁 불어터진 검은 질문들은 갈 곳 없어요

세상의 슬픔들은 구름으로 모여요 힘든 일들은
폭포처럼 한꺼번에 쏟아져요

비바람에 뒤집히고 흔들리던 우리들의 중심
내몰려진 보라색 우산살, 휘어진 흔적이 고스란히
간직되어 있지만

의자에 앉아 세상에 없던 사람처럼 다 내려놓고 쉬다
가요

서로의 위로들이 그나마 이곳에선, 마르고 있으니까요

(미래시학 2021.봄호 일부 퇴고했음)

나이키 농구공

내게만 허락을 닫은 길들에게,

내몰려진 연화로 209번지에 비는 내리고
비굴하지만 재활용 봉투에 담겨 있었으면 맞지 않았을
것을

금이 간 시멘트 담벼락 등은 오늘, 더 시리다

목련 꽃잎에 얻어맞아 시퍼런 멍이 들고
지나가는 차 소리에 뒷걸음치고
제 영역 지키려는 고양이의 성난 발톱에 내 몰려지는

하루 종일 거칠게 밟히고 썼던 낱장들

가슴 뛰도록 누구였던 시절은 사라지고
내 못난 화풀이가 내 상처를 걷어차는
늙어 푹 꺼진 몸에 남은, 너덜해진 보풀의 흔적이 있다

장대 같은 빗소리에 질긴 시간이 고무줄을 끊어버리고

하늘은 가느다란 심장에 죽비 번쩍 내리 친다

번쩍 스친 단꿈이
잠시 그곳에, 있었다

(미래시학 2021.봄호 일부 퇴고했음)

노르웨이 고등어의 평행선

여행에서의 긴 멀미로 비릿한 바다가 급한 숨을 내
쉰다
섬뜩한 가위로 잘라낸 손 등에, 한 움큼 구토를 하고
진공 포장 된 비닐 위에 먹물로 휘갈겨 쓴 이름

어느 누구도 너의 주소를 묻지 않았고 청춘이 기록 된
날짜를 궁금해 하지 않았다

밤마다 별을 읽어내던 눈동자는
구름을 기록했던 기억의 꼬리는
바이킹의 후예답게 용맹한 영웅담을 들려줄 이빨은
한 구루 나무처럼 깊이 뿌리박고 있던 시간의 뼈
조각들은
물의 화살표를 꼬리에 달고 물길을 잃지 말라는
유전의 기록은 사라진 것일까?

아이스박스 하얀 관에 묶어있던
직사각형으로 잘린 살덩이가 프라이팬에 올려졌다

살 속에 남겨졌던 바다의 마지막 포효
그 틈을 뚫고 겹겹이 쌓인 파도의 기억, 올레순드*

젓가락의 부딪힘 속에서 우린 서로의 어긋난 주소를
더 이상 묻지 않았고
아직 등에 남아있는 바다의 점들, 푸른 흔적만
우울하게 걷어냈다

*올레순드-노르웨이 항구

(미래시학 2022.봄호 일부 퇴고했음)

공백

돈의 수혈을 받으며 연명할 수 있다는 행복요양원
편안한 마지막을 책임진다는 멋진 슬로건이 펄럭이고
있다

삼시세끼를 철저하게 책임지고 포근한 침대와 햇볕 잘
드는 창문과
우수한 의료서비스와 심신안정을 위한 휴식공간과
아늑한 정원을 겸비하고
언제든 깔끔한 장례서비스까지 준비되어 있다고 한다

늙은 엔진과 닳아버린 타이어, 볼품없이 구겨진 몸체들
종착역에 내려놓고 갔다는 씁쓸한 상실,

거추장스런 이름을 달고 더 이상 달릴 수 없는
세상과 격리된 세상 밖의 시계가 되어있는
총명하고 정정하셨던 외할머니의 낯선 모습을 차마 볼
수 없어

먹먹해진 마음으로 창밖만 바라본다 창틈을 비집고,
바람 한 줌

'바깥의 시선으로 이곳을 바라보지 마세요'

이곳에선 바람도 한참을 놀다가요 꽃들도 겸손해요
시간도 느린 걸음을 재촉하지 않고
보이는 모든 것들의 매일이 고맙고 반가워요
주름진 세월을 나눌 수 있고 그리움의 퍼즐을
맞춰주기도 해요
서로를 의지하는 잠이 들면 이대로 편히 갔으면
내려놓은 자들이 가질 수 있는 자유가 있어요
아침이 찾아들면 눈을 감고 한 동안 감사한 이름을
불러 보기도 해요

무겁게 떠돌던 이름을 내려놓고
언제든 쉬이 날아 갈 수 있는 가벼운 바람꽃에
앉아있어요

(미래시학 2022.봄호 일부 퇴고했음)

배꼽

뜨겁던 그날의 씰링왁스

잘 살아내라고

피로 써내려 간 편지

아직 읽어내지 못한

문장,

선명하게 찍힌 눈물 한 방울

(미래시학 2023.봄호 일부 퇴고했음)

편의점, 후루룩

가끔 간다, 후루룩
얼큰한 국물의 신 라면과 삼각 김밥
나의 애매한 오전과 오후를 가르는 시간이다

늘 뜨거운 화가 나있어 툭 튀어 나온
입 앞에 서면
혹시라도 서로의 화가 될까 긴장으로 팽팽하다

컵라면도 음식 철학이 있어 기준 선을 지키며 두
손으로 겸손하게
면발이 구부린 촉수를 펼 때까지의 시간은 3분을
넘기지 않을 것
삼각 김밥은 전자렌즈에 2분 30초

배고픈 무릎들과 바닥을 울리는 신발들이 문을 열고

넉넉한 3분도 허락되지 않은 택배기사의 눈은 정차된
차에 타 있고
5분조차 절박한 독서실 청년들은 급하게 면발을

마신다
10분도 채우지 못하고 밀어내는 의자의 야박한
알람소리에
마지막 국물 한 방울 남기지 않으려는 아쉬운
청춘들이 후루룩 뜨겁다

눈치 채지 않게 귀만 힐끔,

등 한 번 펴지 못한 늙고 남루한 허리엔 배고픔에
지친 파도 소리
글 쓴다는 칠칠치 못 한 낡은 외투는 나태한 여유가
부끄럽고

우지직 씹히는 느끼한 소시지와 불어버린 면발이
늘어진 하루를 어떻게 버텨줄지
눈치 채지 못하게 귀로 아프게 들여다본다

머물렀던 시간들을 깊게 들이 마시는

한 낮의 슬픈 피, 뱀파이어

(미래시학 2023.봄호 일부 퇴고 했음)

빛의 금기는 블랙

금기로 억눌렸던 그림들은
뾰족하게 살아낸 흰 눈동자 속에 검은 심을 톡톡
두드린다

시작의 한숨이 먼저 신호를 보내고 떨리는 붓이
신호를 받아낸다

틈새에 끼워진 울음의 밑그림은 급해졌다

검은 캔버스에 그려질 단어들이 붓의 강에서 저벅저벅
걸어 나오고
관념적이었던 이름들은 죽음의 색들에서 해방 된다

더듬거린 시간은 블랙의 점들 위에서 여백을 과감하게
뭉갤 준비를 하고
블랙에서 하나의 점들을 끌어내서 채워낸다

여자는 깊은 굴속에서 태어난 블랙의 이름을 얻고
블랙을 뚫고 나온 흰색의 남자를 길러낸다

시작의 불안은 초록으로 흐르고
두려운 휘파람으로 시작된 노래는
푸른 언덕을 부수고 만삭으로 푸르게 부풀어 오른다

우울했던 모든 기억은 오렌지색으로 저물어가고
사랑은 모호한 노란색으로 노래 부르고
비는 보라색으로 흘러 밝고 경쾌한 회색의 소리로
조율 된다

죽어가던 단어들이 깨어나서 말의 귀를 자르고 부리와
새장을 벗어놓는다

퇴화한 가죽 신발은 그림 밖으로 던져지고
눈 내리는 그림 속으로 다리 자른 새가 걸어 간다

(2023년 청라문학)

갈매기 L

석모대교에 갔다 갈매기가 사라졌다

갈매기만 사라진 것이 아니라 외포항의 배와 그곳에
살던 사람들도 사라졌다
배를 실어 나르던 갈매기를 찾는다는 현수막은
어디에도 걸리지 않았다

공중곡예 하듯 새우깡에 길들여졌던 갈매기들은
어디로 갔을까
준비 없이 맨 몸으로 　ㅉㅗㅈ기 듯 사라져야 했던
갈매기 L은
어느 항구를 기웃거리며 낯선 이방인으로 주린 배를
움켜쥐고 있을까

눈썹바위를 향하던 파도는 일자리 잃어 한가하게
누워있고
사람들과 자동차를 매우 던 광장은 습관처럼 하루
종일 검은 봉지만 날라다 놓았다

매정한 시간은 바다의 기억을 싹둑 잘라버리고
석모대교 위를 달리고 있다

사라져간 L
혼자 먹는, 새우 없는 새우깡이 외롭다

(2023년 청라문학)

두 개의 보름달

오솔길

촌스럽게?
-나는 보름달이 제일 좋아
왜?
-그럴 이유가 있어
아직도 있어?
-응 있어

가좌 근린공원에서 작아지는 작아져가는 촉촉한 달을
베어 물기 시작했다

주말 없이 일했던 은행이 문을 닫으면서
일 년 만에 이혼당하고 아파트는 위자료와 대출금으로
날아갔다
잘 나가던 인생은 바닥으로 추락
숨소리조차 삼키던 어머니의 깊게 패인 주름을 보고
지하까지 떨어졌던 몸을 건져 올릴 수 있었다

문집도서 전단지 들고 대문의 냉대를 견디고
얼굴에 침을 뱉는 굴욕을 참아내며 쉬는 날에는
인력시장 트럭에 몸을 실었다

몸 보다 길게 늘어난 카드가방이 질질 끌어다 놓은
너덜해진 오후,
몸에게 구겨 넣을 하루 한 끼 빵을 의자가 받아냈다
낯익은 얼굴, 신문지 구인광고란에 줄을 긋던 남자
술과 오줌으로 바닥에 그림자를 만들고 악취가 코를
찔렀다
멀지 않아 내 모습이 될 것 같아서
너무 가여운 자신을, 놓아야 한다고 생각한 순간에
소주병과 뒹굴던 신문지 조각이 날아들어 오른쪽 뺨을
때렸다

No.1 빵 하나로 따스한 온기를 전하는 삼립 빵
두둥실 딸기크림 8.88%
눈에 들어간 흙먼지를 부비다 마주한 문장

나를 위한 따뜻한 위로와 읽을 수 있다는 안도감

배고픈 달이 떠올랐다
우리 손에도 보름달이 떠있다

5월 1일의 단발머리

겨울잠을 자던 머리카락이 미용실 문을 열었다
참을 수 없다는 듯 가위를 향해 걸어갔다

발가락으로 피가 다 빠져나간 듯 파리해서 더 눈부신
검은 색과 흰색의 대비
햇빛을 피해 창백한 얼굴과 말을 잃어버려 자글거리는
입속의 모래
입을 열면 금방이라도 모래가 새어 나올 듯했다

거울 속에 머리와 목만 드러난 표정 없는 마네킹
몸을 묻고 돌에 맞아 죽어가던 영화 속 여자 주인공이
저기 있다

목 뒤에 집개가 물려지는 철컥, 후회는 없다
다시는 입을 열지 말자던

섬뜩한 가위가 날을 세우고 우울증 걸린 겨울을
잘라냈다
우지직 소리 내며 끊어지는 겨울의 냄새는 두껍고

무겁다

빛에 그을린 그늘의 색으로 허리까지 자라났던
허공의 음선은 살덩이 같은 검은 쓰레기로 잘려나갔다

나와는 평생 등을 지면서 그늘의 색으로
죽음보다 더 깊은 슬픔에 검은 물이 툭 떨어졌다

엘림 미용실에서 뿌려준 봄의 씨
심으면 잘 자란다는,

(2023년 청라문학 일부 퇴고했음)

바람 때문이었다고 핑계를 댔다

각혈처럼 토해낸 그 꽃은 단지 그놈의 바람
때문이었다고

준비 없이 봄의 가슴이 내지른 서툰 불씨
뜨거운 불길 때문에 온몸이 타버릴 것 같아

달아나려 해도 움직여지지 않던 꿈속, 발의 몸부림
몸부림이 클수록 더 퍼져나가는 발버둥은 타올라

제발 가슴의 불을 꺼달라고 가슴 먼저 부풀었던
금방이라도 온몸으로 타올라 목으로 올라오던 화염

잠재울 줄 알았던 비는 휘발유처럼 뿌려지고
불씨는 터져 더 붉게 피어오르고
입에서 쏟아내던 핏덩이, 핏덩어리들이 산으로 들로
번져나갔다

나를 흔들던 것은 단지 내 속에 일던 바람만이
아니었다고

나에게서 흐드러지게 흐르던 불덩이는 숨겨진
사랑이었다고

불구경 나온 사람들에게
애써,

(2023년 청라문학. 일부 퇴고했음)

지팡이 들고 칠흑 속으로

북촌 시각장애인 체험
초등생들을 둔 엄마들과 함께했다
칠흑을 온몸으로
받아들여야 했다

지팡이 하나가 눈이 된다는 것
바닥에 닿는 소리가 귀가 된다는 것

지팡이까지 없어지고
오로지 손으로만 벽을 잡았을 땐
손에 잡히는 낯선 것에 절망과 두려움으로
바닥에 주저앉아 버렸다

10분이 열 시간 같이 더디게 흐르고
천막을 걷고 밖으로 나왔다

햇빛에 눈이 찔려 눈물이 쏟아졌다

며칠을 앓았다

잠시 보지 못했다는 것만으로도
가슴에 담이 결려서

눈을 뜨고도 볼 수 없는 게 너무 많은
오히려 보이지 않는 흰 천막 속에 눈들이 가려지는
익숙한 공간들이 낯설어졌다

지금, 눈의 지팡이를 잃어버렸다

(2023. 하린 외 우리에겐 그리움이란 환절기가 있다)

피의 결핍

안됩니다
꼭 하고 싶은데요

절대 안됩니다
제 것을 나누고 싶어요

위험해서 안됩니다
그래도 하고 싶어요
아마 집에 가기도 전에 쓰러질 거에요

정말 안 되나요
어머니가 누워 있는데
태초에 피를 준 사람에게
다시 돌려 주고 싶은데

나밖에 쓸 수 없다는 혈소판
저체중까지
헌혈 할 수 없는 몸이라는 말에
슬픔이 콸콸 쏟아졌다

이기적인 몸이 너무 슬픈 등 뒤로
저런 몸 부럽다는 여자의 뒷말에
1층 버튼을 누른 숫자 사이에 피가 흘러내렸다

(2023. 하린 외 우리에겐 그리움이란 환절기가 있다)

수봉산 대보름

황해에서 내려와 물 위로 솟았다는 봉우리
제물포 건너 정월 대보름 맞으러 올라간다

팔각정에는 제일 먼저 보려는 사람들의 기린 목들이
기다리고 있고
붉은 해넘이
손끝으로 무사히 보내놓고 하얀 명주실 가느다란
눈썹을 드러낸다

바다에서 힘들게 끌어 올려져
두 손 모아 비는 부모들은 그 자리를 떠나지 못한다

밤새 수많은 소원을 담아내도 넘치지 않는 보름달
작은 골목, 풀 한 포기 하나에도 환하게 비춰주고 있다

2023 <내 손안에 인천사랑 시 공모전>-당선

둥글고 말랑한 키스

풍만한 가슴을 풀어헤친 그녀의 도발

깨어난 본능으로 둥글게 말리던 혀의 감촉은
젤리보다 말랑하고 솜사탕보다 달콤했다
카카오 98%보다 치명적인
촉촉하고 부드러운 첫, 맛이 들려주던 몸의 언어
참지 못할 욕망으로 더 붉었던 기억

금단이 되어 버린 젖무덤

<2024 서구 도서관 꽃 보듯 시 보듯 시화집>

밥의 안부

소복하게 담아낸 꽃잎들이

희뿌연 안개를 피워내고

질문으로 시작하는

안개꽃말이 잠시 입안에서 머물다가

시린 골짜기에서

잘 살아내라는 한 다발의 안부를 전한다

<2024 서구 도서관 꽃 보듯 시 보듯 시화집>

염전공원

염전로 566번 길

풀 한 포기 없는 초록 운동장엔

검은 눈이 쌓이고

아버지는 죽어서도

절뚝거리는 다리를 끌고

힘겹게 소금을 나르고 있다

<2024 서구 도서관 꽃 보듯 시 보듯 시화집>

2부 에세이를 그리다

달동네는 루나의 놀이터

문근혜

“헉,헉...”

숨을 몰아쉬며, 언덕 아래에서 루나가 달려온다. 푸른 눈에 숏 컷트 한 누가 봐도 선머슴 저리가라다. 머리카락은 땀이 절다 못해 말라 비틀어져 이마에 눌러 붙어 있고 얼굴은 또 꼬질꼬질 아주 가관이 아니다. “마이클”하며 저 바다 멀리서 왔을 법한 이목구비에 여자아이다. 옷은 또 어디서 얻어다 입혔는지 남자 녀석에게 물려 입힌 게 분명하다. 미닫이문을 밀고 문지방을 넘어 폴짝 뛰어 들어간다. 칠성책방 나무 명패가 바닷바람 눈비 맞히며 말린 북어 마냥, 오랜 비바람에 깎이고 씻기고 해서, 저 아랫동네 서점들처럼 심플하게 바꾸라 하는 이웃들에 얘기에도 삼촌은 콧방귀도 안 뀐다.

“루나 넌 또 어디서 무슨 소문을 물고 온 거냐?”
“마이클 저 아래 루프 탑(*식당, 카페, BAR등이 건물 맨 윗층 야외에 식사 음료 등을 즐길 수 있는 공간이다)이 들어온 데요.”

"그래 엊그제까지도 페인트칠도 하고 공사가 한창이더니 요즘 MZ세대들이 좋아 할 감성 루프 탑이 제격이지"
"마이클 우리도 저런 가게 하면 않되 응? 여기 달동네 해방촌에서 업종을 바꾸어 장사들 잘 되는데, 우린 이게 뭐야"

루나는 조르듯 얘길 하지만, 마이클은 그럴 생각이 눈곱만큼도 없다. 이 가계로 말할 것 같으면, 할아버지가 저 아랫마을에서 몇 날 며칠을 엄마를 부르며 울던 아이를, 경찰에 신고해도 도망간 엄마를 찾을 수 없기에, 혼례도 하지 않고 혼자 사는 홀아비인 할아버지가 양아들 삼아 마이클을 데려와 키웠다.

30년 전 루나보다 어릴 때, 고서적을 파는 이곳에 와서 한자도 배우고, 고서적이 무엇인지 어떤 서적이 가치가 있는 건지를 어깨너머로 할아버지의 이야기를 귀동냥하며 배웠다. 건강하기로는 비길 데 없는 분이었는데, 어느 날은 저 금은방 할배에 성화에 못 이겨 거나하게 술을 드시고 주무시다가, 아침에 인기척이 없자 돌아가신 걸 알았다. 마이클에게 할아버지가 혈육이었고, 엄마 아빠이기도 했다. 한 달을 고서점 문을 닫고,

밖에 나오지도 않고, 식음을 전폐해 몰골이 반쪽이 된 사람을 옆 집 루나 엄마가 하루에도 아침저녁으로 가족이 먹을 음식에 마이클이 먹을 양을 더해 준비했고, 루나가 음식을 가져다주는 심부름을 해서, 지금도 온 동네 소식을 마이클에게 이야기하는 데 신이 났다.

하루는 여름비가 한차례 지나가고, 루나엄마가 부친 부침개로 배를 채웠다. 손님도 없어 루나와 해방촌 108계단 오르기를 누가 빨리 올라가나 내기를 한 거다. 루나가 이기면, 루나를 목마태워 내려와야 하고 루나가 지면, 내일 고서적이 들어오는 날이라고 책을 내리고 올리며 정리하라고 했다.

그런데 누가 봐도 산 다람쥐 마냥 날라다니는 루나를, 산을 보는 듯 육중한 몸의 마이클은 따라잡을 수도 없다."요이~땅"루나가 외치는 호령에 맞추어 출발 이미 게임은 끝난 듯 루나는 너무나 여유가 있다. 토끼와 거북이 경주가 되어버린 하지만, 마이클은 거북이가 될 수 없었다.

'아리랑 아리랑 아라리요' 우리 가락 나온다

문근혜

이게 무슨 소리일까~~ 우리가락 나온다. 나와 경남씨 논두렁에'아리랑~~아리랑 고개로 넘어간다. 아침해가 나오기도 전 넓은 평야에 바람 따라 노랫가락이 전해진다.
오늘도 경남씨는 아내에게
"새암아 그 음악이 야들을 키운 다고야?"
"그럼 얘들도 귀가 있어서 건강하게 잘 자란다네~~"
새암이 웃음을 훔친다.

경남씨의 아버지는 상품종의 쌀을 친환경 유기농 재배를 성공시켰다. 어릴 때부터 농사짓는 모습을 보고 자랐고 아버지는 쌀농사에 자부심을 가졌다. 도전에 성공해 우리는 쌀 재배에 대해 생각하게 되었다. 대기업에서 만난 새암이를 설득해 과감하게 사직서를 제출하게 했다.

공주로 내려와 아버지와 친환경 농법으로 재배한 친환경 쌀을 상품화했다. 홍보와 판매 루트까지 아버지와

상의하고 아이디어를 내는 등 재미에 발이 달렸나 보다. 젊은 청춘이라 아버지는 “허리와 무릎이 아프시네.” 해도 경남씨는 끄떡없다.

논 661제곱미터에 우렁이 3.5KG 투척한다. 그럼 우렁이 들이 잡초를 먹고 살고 논 흙속을 돌아다니며 산소와 유기물들을 만든다. 우렁이의 등껍질이 나오면 잡초가 말라 우렁이가 먹지 않는다고 한다.

그래서 논에 일정량에 물을 대는 게 매우 중요하다. 벌레가 생기지 않게 천연비료를 드론에 띄워 뿌린다. 드론 조종사가 와서 해야 하니 뿌리는 양과 구역을 꼼꼼히 챙긴다. 2005년 멸종위기였던 긴 꼬리 투구 새우가 유기농 논에서 보이기 시작했고 풍년새우, 미꾸라지, 개아제비도 함께 공생하며 사이좋게 논에 좋은 미생물도 자라게 하는 일등 공신이다. 땅이 숨을 쉰다.

이런 좋은 땅에서 건강하게 자란 쌀로 만든 밥을, 소비자의 식탁에 올린다고 생각을 하니, 경남씨 가족은 너무 보람되고 뿌듯했다. 지리적으로 충청남도 공주는 천혜의 자연을 자랑한다. 산 좋고 물 좋은 평야를 바라보고 있노라면 이보다 좋은 것이 뭐가 있으랴...

새암은 20대 때 귀농을 체험 할 수 있는 동아리에서 농촌 체험도 해 보았지만, 도시에서 자신과 코드가 맞는 사람을 찾기란 하늘에 별 따기로 생각했다.

정신과 마음에 항상 바라고 생각을 해서 였을까? 경남씨와 사귀게 되면서 공통점을 찾게 됐고, 사내커플 2호가 탄생했다. 결혼까지 골인~~ 아들 녀석 둘을 연년생으로 낳아 정말 생각할 것도 없이 100% 방목한다. 우리 아이들에 미래에 바른 먹거리 아름다운 유산을 물려주고픈 경남씨 부부는 오늘도 너른 평야를 흐뭇하게 바라보는 시선에서 시작된다.

어머니의 눈물

변홍수

프로필

꿈 많던 시절은 지나가고, 사랑했던 시절도, 슬펐던 순간도 지나갔다. 60세가 되면 '나는 자연인'으로 돌아가 멀리 떠나려고 했건만 세상 인연의 끈이 붙잡았다. 이젠 멀리 떠나갈 힘도 시간도 없으니 할 수 있는 걸 다 하기로 했다. 마지막 꿈을 향하여 다시 시작하자.

*2024 중앙도서관 무지개 동아리 회원(그림책 만들기)
*인천 청라문학 회원으로 활동 중

일할때가 가장 좋은 시간입니다

어머니의 눈물

변홍수

이 글은, 어머니가 하늘나라 가기 전의 3개월을 기록한 글입니다.

어머니는 5년 전 한쪽 유방암을 수술했다. 가슴에 작은 돌이 잡혔지만 통증이 없기에 무심코 지나치다가 우연히 아내가 발견했다. 어머니는 암 수술 후 3년 동안 주기적으로 병원에 다녔는데 어느 날 숨이 차다고 했다. 병원에 입원해서 진단 결과 의사는 "암이 폐로 전이되어 숨이 찬 겁니다. 너무 노령이라 수술은 권하지 않겠습니다." 폐암이라는 진단을 받은 어머니는 남은 시간이 많지 않다는 걸 알고 병원에 가서 요양하기를 원했다.

어머니를 서구 은혜병원에 모셨던 날은 2004년 10월 24일이다. 병실은 9인용이었는데 환자들 대부분 거동도 못하고 죽음직전이었다. 그날 병실에서 어머니의 주름진 피부를 만지면서 많이 울었다. 이 병실에서 어머니가 임종을 맞을 거라는 생각이 들어 슬펐다. 많은 사람이 누워서 대소변을 보지만 어머니는 스스로 화장실을 다닐 수 있는 몇 안 되는 환자였다.

우리 가족은 주말이면 어머니를 뵈러 갔지만 어머니의 얼굴엔 죽음에 대한 초조함이나 두려움은 없었다. 병원에 오기 전 미국에서 살고 있는 작은 외삼촌의 전화를 받았다. 어머니는 “내가 죽을병이 걸렸으니 너를 볼 수가 없겠구나.” “이게 마지막 전화일 것 같구나.”

조금씩 걷던 어머니는 12월 초부터는 휠체어에 의존해야 할 정도로 건강이 나빠졌다. 홍콩에 거주하던 남동생 동수가 12월 10일에 귀국했다.

“형, 여기 병원이야. 어머니와 같이 있어. 형 못 보고 홍콩에 가야 돼” “아직도 바쁜가 보구나. 어머니와 얘기라도 많이 하고 가거라.” 홍콩에서 개인 사업을 하는 동생은 사업을 많이 벌려놔서 한국에 오기가 쉽지 않았다.

2004년 12월 17일 자고 있는데 전화기가 울렸다. 아내가 황급히 전화기를 받았다. 시계를 보니 3시 반이다. 이 시간에 전화가 온 것은 은혜병원에 있는 어머니에게 무슨 일이 일어났음에 틀림없다. 가슴이 뛰었다. 아내가 "여보! 홍콩에서 왔는데…." "병원이 아니고 홍콩이라니?" "중국 광주로 출장 간 시동생이 의식불명이래." "동수가 의식불명이라니?" 혼란스럽다. 평소 건강 하나만큼은 자신 있다고 큰소리쳤으니 시간이 가면 깨어나겠지.

성남시 분당에 있는 회사는 출근시간이 8시까지라 인천에서 최소한 6시 전에 집을 나서야 했다. 7시쯤 교대역을 가는데 휴대폰이 울린다. "여보, 어서 집으로 와?" "왜 무슨 일이야?" "동수씨가 의식불명이래." "동수가 아직 깨어나지 못했나? 일단 회사에 갔다가 갈게"

회사에 도착해 업무를 정리하는데 휴대폰이 또 울린다. "오빠, 작은 오빠가 죽어서 화장한다고 해." 분당에 살고 있는 여동생이 울면서 전한 소식이다. "동수가 죽었다고?" 부리나케 집으로 가는데 여동생이 "오빠, 우린 3시 비행기로 홍콩 가는데 오빠도 같이 가?" "내 여권은 갱신을 안 해서 사용할 수 없다. 여기서도 할 일이 많으니 빨리 가아."

외국 생활을 많이 한 매제와 여동생이 가면 큰 도움

이 될 것이다. 동생의 죽음이 믿어지지 않았다. 매년 귀국하여 인천 종합병원에서 정기검진 받을 때마다 "건강은 어떠냐?"라고 물으면 쾌활한 몸짓을 보인 동생이다. 집에 도착해서 친척에게 동생 죽음을 알리는데 모두들 믿기지 않는 듯 재차 물어본다. 동생의 고교 동창생도 연신 휴대폰으로 동생의 죽음이 사실이냐고 묻는다.

방금전 홍콩에 도착한 매제가 전한 동생 사고를 보면 동생은 개업식 때문에 12월 16일 홍콩에서 중국 심천으로 가서 저녁을 먹었다. 저녁 먹는 중에 가슴이 아프다고 하면서 먹은 음식을 몇 번 토했다. 동행한 00은행 차장이 홍콩으로 돌아가겠다는 동생을 아픈 몸으로 어디 가냐고 호텔로 안내했다. 호텔방에 와서도 토하고 싶다며 화장실로 들어가서는 나오지 않았다. 차장이 화장실 문을 열어보니 동생은 이미 죽어 있었다. 급히 엠브런스로 병원으로 옮겨 심폐소생을 1시간가량 했지만 동생은 끝내 깨어나지 못했다. 동생이 죽은 시간은 12월 17일 새벽 2시였고 그때 나이 만 49세였다. 동생은 대학을 같이 다니다 ROTC 졸업 후 군대를 갔다. 군제대 후 S물산에 들어가 홍콩지사로 파견되어 중국 시장을 개척했다. 40대 중반에 독립하겠다고 S물산을 떠나 홍콩에서 철강 무역과 관광지 개발 사업을 추진하던 중에 사고가 났다.

동생 유해가 언제 올지 몰라 애태우는데 매제로부터 중국당국의 화장 허가가 떨어져서 12월 21일 오후 2시에 인천국제공항에 도착한다는 연락이 왔다. 동생 유해가 한국에 오는 12월 21일은 추운 날씨에다 하늘마저 어두웠다. 서구 '하늘의 문' 납골함 앞에 동생 영정을 세우고 유골함을 놓았다. 연령회에서 죽은 자의 기도문을 올리는데 제수씨는 영정을 부여안고

"꿈이었으면 좋겠다."라며 울었다. 납골함 문이 열리고 동생 유골함이 다시는 볼 수도, 열 수도 없는 납골함 안으로 들어갔다. 여동생이 통곡하며 묵주를 꺼내서 납골함 안에 넣었다 "오빠! 이거 엄마 꺼야. 가지고 가."

한 형제로 태어나 이승에서 희로애락을 겪어왔던 동생은 49년의 짧은 생을 마감하고 회색 벽면 속으로 영원히 사라졌다.

이날은 83세를 맞는 어머니 생일이다. 납골당에서 20분 거리의 어머니가 있는 은혜병원에 가니 어둠이 짙게 깔린 7시다. 우리 가족과 여동생 부부만 가기로 했고, 제수씨 가족은 밖에서 기다리기로 했다. 먼저 여동

생과 매제가 케이크를 사들고 출발하고 우리 가족은 30분 후에 출발하기로 했다. 어머니 생일선물로 큰아들은 화장품용인 피부 크림을 사고, 작은아들은 예쁜 양말을 샀다. 우리는 휠체어에 앉아 있는 어머니를 중심으로 생일 케이크를 자르는데 눈물을 참을 수가 없다.

어머니, 당신이 귀하게 키운 동수는 이국땅 중국에서 죽어 오늘 납골당에 안치했어요. 그러나 동생의 죽음을 알릴 수는 없습니다. 작은 아들이 "해피 버스 데이"를 선창하자 우리 모두 따라 불렀다. "어머님 촛불 끄세요?" 어머니가 끄지 못한 촛불은 내가 껐다. 흐르는 눈물을 감추려고 어머니 뒤에 섰다.

"어머니, 동수는 중국에 들어갔데요." "응, 걔는 맨날 바쁘니…." 어머니는 내색은 하지 않았지만 섭섭함이 역력했다. 더욱이 매일 아침마다 어머니에게 안부 전화를 하던 동생이 어머니 생일인 오늘 같은 날 전화 한 통 없으니 많이 섭섭하셨으리라.

어머니가 가지고 있는 휴대폰은 내 휴대폰보다 기능이 좋다. 어머니가 입원하자마자 여동생이 사드린 거라 사진 기능까지 부착되어 있다. 어머니를 중심으로 사진

찍는데 무엇보다 어머니 당신이 손수 기른 손주가 좋은가 보다. 어머니를 중심으로 두 애가 함께 찍어 휴대폰 표면에 박았다. 평소에 달다고 칭찬하는 작은아들은 어머니의 주름 잡힌 손을 연신 쓰다듬었다. 9시쯤 병원에서 나왔는데 밖에서 기다리던 제수씨와 두 애가 어머니를 봤다고 했다. 밤이라 밖에서는 안을 볼 수 있지만 안에서 밖을 볼 수 없었다.

동수야, 네가 하늘나라에 간지도 벌써 한 달이 넘는구나. 요즘은 병원에 갈 때마다 어머니가 널 찾고 있단다. 네가 중국 과학자들과 산속 오지에 들어가 광산을 찾기 때문에 당분간 연락하기가 어렵다고 했다. 지난번엔 어머니가 너에게 전화하겠다고 하는 걸 기다리라고 했다. "동수야, 오늘따라 춥구나. 네가 있는 방은 무척 춥겠지. 더욱이 불까지 없으니 답답도 하겠구나." 너한테 자주 간다면서도 못 가는구나. 가까이 있는 이 형이라도 자주 가야 네가 덜 쓸쓸할 텐데. 우린 자라면서 싸움도 많이 했지. 너는 지면 분해서 엉엉 울 정도로 승부욕도 강했지. 지금도 네가 하늘나라에 있다는 걸 믿고 싶지 않구나. 네가 있는 하늘나라는 어떠니? 우리 모두 언젠가는 갈 수밖에 없는 길이지만, 부모보다 일찍 가는 건 불효 중에 불효란 걸 뼈저리게 느끼고 있단다.

동수야, 네가 마지막으로 효도할 일이 하나 있구나. 어머니가 돌아가시면 어머니보다 먼저 하늘나라에 와서 "죄송합니다"라고 큰절을 드리고 하늘가시는 길을 안내하려무나. 어머니가 초행길에 얼마나 불안해하시겠니? 형은 네가 어머니 손을 부여잡고 하늘나라로 가는 걸 생각하니 조금은 위안이 되는구나. 동수야, 그러고 보니 너 아버지한테 혼나지 않았니? 아버지 나이만큼도 못살고 하늘나라에 왔냐고? 아버지에게도 너무 일찍 하늘나라에 와서 죄송하다고 큰절을 올리고 아버지 품에 안겨보려무나.

어머니 건강은 새해인 2005년 1월로 접어들고부터 대부분의 시간을 침대에서 보냈다. 한편으론 어머니는 의사가 말릴 정도로 먹는 것에 집착했다. 병문안 갈 때마다 먹고 싶은 음식을 주문했는데 그 종류가 초콜릿, 사탕 등 다양했다. 누님이 산 음식은 재래시장에서 사온 것이 많았는데 조금 드시고 나선 "맛있는 것 좀 사와봐." 어머니는 내가 듣기에도 민망할 정도로 누님을 책망했다.

특히 동수가 홍콩에서 가지고 왔던 한약재 달인 물을 좋아했는데 동수가 “어머님, 이 한약재는 백두산에서 채취한 한약재라 암에 특효래요.” 아마도 어머니는 그 물을 드실 때마다 동수의 느낌을 받는가 보다. 하긴 동수는 약관 30세부터 S물산 홍콩지사로 파견되어 어머니와 많은 시간을 같이 보내지 못했다. “애야, 동수가 어째 소식이 없냐?” “어머님, 동수가 아직 중국 산속에 들어가서 광산을 캐고 있어요.” “아마도 당분간 나오지 못해요. 거긴 산속 오지라 전화도 없는가 봐요.” “어머니, 동수가 아버지를 닮았나 봐요.” 아버지는 1978년 1월 21일 53세의 나이로 돌아가셨는데 당시 아버지는 영풍 광산에서 오래 근무했다. 어머니는 “광산은 아무나 하는 게 아니라는데.”

2005년 1월 중순부터는 산소마스크를 하루 24시간 쓸 정도로 어머니의 건강이 나빠졌다. 어머니는 많은 시간을 침상에서 보내다 우리가 가면 휠체어에 옮겨 타서 잠시 복도를 거닐었다. 화장실도 실내 변기통에서 일을 봤다.

어머니는 동생에 대해선 일절 묻지 않았다. 아마도 동생이 중국 오지에 있으니 한국에 오는데 시간이 좀 걸릴 거라는 걸 아시는가 보다. 동수보다 손주 얘기를 했다. “동민이는 어떻게 지내니?” “군대를 가야 되는데 군대 갈 생각을 안 하네요.” “아비야, 걔가 태어날 때 아주 꿈이 좋았단다.”

담당 의사가 체중이 불어난 어머니에게 절식을 권고했다. 체중이 불면 폐를 더욱 압박하기 때문에 숨쉬기가 더욱 힘들어질 것이라고 했다. “어머님, 의사 선생님이 드시는 것 조금씩 드시래요.” “무슨 소리야? 잘 먹어야지.” 어머니가 음식에 집착하는 건 언제 올지 모르는 동수를 기다리기 위해서다. 간병인 얘기를 들으면 어머니는 아침에 일어나면 침상 위에서 손과 다리를 뻗치거나 흔들어 열심히 운동을 한다고 했다. 아마도 어머니는 동수가 금방 올 것 같지 않음을 느끼셨는지, 동수가 올 때까지 살기 위하여 부단한 노력을 하고 있는 것이다.

1월 말이 되자 어머니는 하루의 대부분을 침상에서 보냈다. 그러면서 답답함을 토로했다. 폐암으로 답답한 것도 있겠지만 한편으론 동수의 소식 없음에 대한 표현이었다. 그때마다 진통제를 투여했지만 효과는 길지 않았다.

어머니! 저도 답답하답니다. 어머니가 기다리던 동수는 영원히 오지 않을 거예요. 2월 중순이 되자 어머니는 침상에서 내려오기조차 힘들어했다. 어느 날인가 어머니는 "동수, 소식 없지?" "어머님, 동란이 쪽으로 동수 편지가 왔대요." "응, 그러면 그렇지. 걔가 그럴 애가 아니지."

동수 편지 아이디어는 작은 애가 "아빠, 작은 아빠 편지를 써서 할머니 주시면 되잖아요." 여동생에게 부탁해서 동수가 쓴 것처럼 필기체와 웃기는 이야기를 한 장 써서 어머니에게 드렸다. 편지는 동수가 중국에서 잘 먹고 아침마다 운동하고 매일 어머니를 생각한다는 내용이다. 하지만 어머니가 학수고대하는 언제 온다는 얘기는 있을 리가 없다. 여동생이 이걸 쓰면서 얼마나 울었을지 짐작이 갔다.

편지를 받아 본 어머니는 환한 얼굴로 읽다가 침묵했다. 편지 내용 어디에도 한국에 온다는 날짜가 없으니 말이다. 어머니는 내심 동수에게 큰 사고가 났음에 짐작 하셨을 것이다.

2월 말에 어머니는 "아비야, 내 방 서랍을 열면 모아 논 돈이 있으니 좀 가지고 오너라. 죽기 전에 애들에게 용돈이라도 주어야겠다." "어머님, 왜 벌써 그러세요?"

“아니다. 이러다 덜컥 죽으면 어떡하니?” 어머니가 준 용돈을 받은 큰애가 “할머니, 빨리 일어나셔서 집에 가요.” “쓸데없는 말이야. 할미는 나 갈 수 없는걸.”

3월 초가 되자 어머니는 본인 스스로 시간이 많지 않다는 걸 아시는지 동수를 찾았다. 동수가 하늘나라에 간지 벌써 2개월이 넘었으니 말이다. “아비야, 동수가 이 어미가 죽는 줄도 모르는구나” “동수가 중국에 잡혀 있는 것 아니니?”

늦은 저녁이었다. 침상에 간신히 앉아 있는 어머니 등을 두드리고 나서 창밖을 보고 있으려니 “아비야, 동수는 기다리지 마라. 난 괜찮아.” “동수는 기다리지 마라. 난 괜찮아.” “난, 괜찮아….” 하시더니 통곡했다. 2개월 넘도록 전화 한번 하지 않는 동수에 대한 절망감이 극에 달한 것이다. 아무리 사업이 바쁘더라도 죽음직전에 있는데도 오지 않는 아들에 대한 원망과 서러움이었으리라. 어머니 손을 잡고 “어머님, 동수가 나쁜 놈이에요. 오면 많이 때려주세요.” 어머니가 돌아가신 후 느낀 것이지만 어머니는 동수가 오지 못할 큰 사고가 났다는 걸 아신 것 같았다. 다만 당신 스스로 동수가 못 온다는 현실을 믿고 싶지 않았을지 모른다.

3월 중순부터 어머니는 하루의 대부분을 누워서 보냈다. 그와 비례해서 동수에 대한 그리움은 더욱 커져만 갔다. 내 휴대폰이 울리면 눈을 번쩍 뜨고는 쳐다봤다. 빨리 을 받으라는 눈짓은 혹여 동수일 것이란 잠재의식이 있기 때문이다. 더욱이 최근에 의식마저 가끔 잃을 때가 있었는데 의식이 있을 때는 동수를 찾았다. 홍콩에서 제수씨가 어머니의 위중함을 듣고 한국에 오기로 했다. "어머님! 홍콩에서 내일 온대요. 어머님 기쁘시죠." 어머니는 머리를 끄덕였다. 어머니는 약간의 죽도 드시기 힘들어했고 의식도 혼미했다. 하루는 어머니 손을 어루만지고 있는데 "나, 안 죽었어. 왜 묻으려고 해?" 어머니가 이렇게도 세상의 끈을 놓지 못하는 것은 동수 때문이다.

홍콩에서 제수씨와 애들이 온 것은 3월 17일 저녁이었다. 제수씨와 애들이 병실에 들어서자 어머니의 첫마디가 "동수는 왜 안 보이냐?" "어머님, 동진아빠는 아버님에게 갔어요." 어머님이 무슨 말인가 의아해하자 "동진아빠가 죽었어요." 동생의 죽음을 안 어머니는 목 자르는 손짓을 하며 "내 목을 자르고 동수를 살려라." "빨리 가서 동수를 살리고, 내 목을 자르거라." 제수씨와 여동생이 나가지 않고 울자 "간호원!" "간호원!"을 부르고 나서 한동안 눈을 감았다. 얼마 후 눈을 떠서는 울고 있는 제수씨에게 "애야, 살다 보면 세상 어려운 일이 있는 거란다. 그때마다 지혜롭게 살아야 한다."

이 말씀이 마지막으로 남기신 어머니 말씀이었다. 당신 스스로 키운 아들의 죽음을 알았을 때 그 충격이 얼마나 컸으랴만 그 슬픔보다 며느리의 앞날에 대한 걱정을 먼저 하신 어머니였다. "어머님, 동수 많이 기다렸죠. 이젠 기다리지 마세요." "하늘나라에 가시면 동수 많이 혼내주세요." "하늘나라에 가서 동수도 만나고요. 아버님도 만나세요."

만약 제수씨가 동수의 죽음을 어머님에게 알리지 않았다면 우리 가족 어느 누구도 말하지 않았을 것이다. 몇 번이나 동수를 애타게 기다리는 어머니를 볼 때 알리고 싶었다. 그러나 모 신문에 80 먹은 노모가 40대인 셋째아들의 죽음을 3년 만에 우연히 알고서 자살했다는 기사를 보고는 도저히 알릴 수 없었다.

동수의 죽음을 알고 난 어머니의 건강은 급격히 나빠졌다. 의사 선생님이 무슨 일이 있었느냐고 물었다. "알리지 않는 게 좋았을 텐데. 앞으로 혈압이 떨어지기 시작하면 임종하니 지금부턴 누군가 옆에 있어야 됩니다.” 어머니는 한 시간이 다르게 숨 한 모금을 힘겹게 들여 마셨다. 가끔 눈가가 불그스름했었는데 동수의 죽음에 대한 슬픔이었으리라. 어머니의 가슴에 머리를 묻고 많은 생각을 했다. 이렇게 가시는데 살면서 어머니에게 해 드린 게 너무나도 없음을 알았다.

어머니는 일주일 전에도 “애야, 저녁 먹었니?” 내 걱정을 한 어머니였다. 어머니 귀에 대고 “어머님, 고마워요. 저를 잘 길러 주셔서. 어머님 사랑합니다. 사랑해요.” “하늘나라에 가시면 아버님도 있고요. 그렇게 보고 싶어 하던 동수도 있어요.” “어머님, 동수 만나면 혼내세요. 왜 먼저 하늘나라에 갔냐고요?” “어머님, 동민이와 동익이를 키우느라 힘들었죠?” “어머님, 이젠 어머님을 부를 시간이 없네요.”

3월 20일 일요일 저녁 병원에 가는데 여동생 전화가 왔다. “오빠 나 병원에 왔어. 올 때 엄마가 입을 수의 사와?” 계양시장에서 은 빛깔의 곱디고운 잠옷을 들고 병원에 도착하니 여동생과 제수씨, 동민이가 어머니 옆에 앉아 보살피고 있다. 어머니는 의식은 없고 한 모금씩 힘겹게 숨을 토했다.

동민이가 울면서 “할머니, 죽지 마세요. 죽으면 안돼

요." "동민아, 할머니는 아직 돌아가시지 않을 거야. 집에 가 있어라." 그날 밤 담당 간호원은 물론이고 여동생과 제수씨가 간호했다. 병실 옆에 있는 휴게실에서 잠시 잠을 청하는데 제수씨가 "빨리 오세요. 어머님이 돌아가실 것 같아요." 병상에 달려가니 간호사가 혈압 체크를 하면서 혈압이 떨어지는 상태라 곧 운명하실 것 같다고 알렸다. 맥박 체크기를 보니 90, 70, 30, 20 10, 0으로 떨어지더니 심장 박동기가 알리는 파도 형태가 평형 일자로 멈췄다. 난 침상 앞에 무릎 꿇고 "어머님, 용서하셔요."

어머니에게 조금 전 사온 수의를 입혀드리고 인하대병원 영안실로 모셨다. 많은 친척분들과 회사동료, 고교 동창생과 동생 동창생들이 문상을 왔다. 부평4동 성당 연령회 분들이 많은 수고를 했다.

발인 날인 3월 22일 아침에 염을 했다. 두 사람이 어머님의 온몸을 정성껏 씻고 얼굴 화장을 한 후 가족 되는 사람만 들어오게 했다. 어머니의 단정하게 빗은 머리를 만지고 이마에 손을 댔다. '어머님, 이승에서 어머님의 아들로 태어나서 마지막으로 어머님을 봅니다. 이 시간이 지나면 앞으로 영원히 어머님을 볼 수가 없어요.' 오후 1시 운구차로 부평 화장터로 갔다. 눈물

흘리며 어머니께 마지막 인사를 했다. “어머님, 하늘나라로 안녕히 가세요.”

‘하늘의 문’ 납골당으로 갔다. 부평4동 성당 연령회분과 여동생이 다니고 있는 분당 레지오 회원이 어머니를 위한 미사를 했다. 3개월 전인 2004년 12월 17일 동생을 안치한 이곳에 어머니를 모시고 다시 온 것이다. “어머님, 동수가 바로 옆에 있어요. 이젠 정말로 같이 있네요.” “어머님, 그동안 동수가 보고 싶었죠. 이젠 많이, 많이 보세요.” “동수야, 어머님이 오셨다. 그동안 너를 애타게 기다렸단다. 어서 빨리나와 절 헤야지.” 납골함이 열리고 유골함이 들어갈 때 동수의 중학생 사진을 유골함에 붙였다. 그동안 동수를 애타게 기다렸던 어머니의 소원을 풀어드리고 싶었다. “어머님, 동수 사진입니다. 중학생이라 어린애 같네요. 그래도 어머님 곁에 있으면 어머님과 얘기를 나눌 수 있겠네요.”

나를 보다:시작 하나-달무리

신혜란

문득 땅만 보고 걷다가 고개를 들었다. 어두운 하늘에 걸려있는 자그마한 달 주위로 뿌옇게 달무리가 달을 감싸 안고 있었다. 그제야 나는 고개를 돌려 두리번거리며 주위를 돌아보았다.
주변에는 아무도 없었다. 시계를 보니 자정이 다가오고 있었다. 머리를 풀어헤치듯 늘어뜨린 수양버들이 흔들리고 있었다. 싸늘한 바람이 텅 빈 나의 얼굴을 때렸다. 퍼뜩 정신이 들었다.
눈앞에 있던 시커먼 산이 스스로 나를 노려보고 있었다. 갑자기 무서워지기 시작했다.

그때 저만치서 서 있는 내게로 검은 그림자 하나가 뚜벅뚜벅 조심조심 다가오고 있었다.
덜덜 떨고 있는 내게 그는 다가와 살며시 손을 잡으며 말했다. “집에 가자.”
언제부터였을까? 나도 모른다. 어둠 속을 걷고 걷던 날들이. 나는 그의 손에 잡힌 채 집으로 돌아오며 내내 생각에 잠겨있었다.

아침이면 일어나 아이들과 남편의 밥 챙겨 학교 보내고 아버님 아침상을 들인다. 10년을 넘게 해온 일인데 언제인가부터 밥상을 들일 때마다 나는 사람이 아닌 것 같다는 생각이 나의 가슴에 박히게 된 것이. 10년 전 아버님이 우리 집으로 오시기 전까지 3년간 난 우리 친정아버지와 같이 살았다. 아버지는 집이 없어서도 엄마가 없어서도 아녔다. 그저 평생 일속에 묻혀 살았던 시골이 싫었고 엄마와 부딪치는 것이 싫다고 도시로 나와 편히 노인정이나 다니며 노후를 마무리하고 싶다고 하셨다.

그러나 엄마의 땅에 대한 집착은 대단해서 절대 시골집과 땅을 놓지 않으셨다. 서로 편해지실 때까지 딸네 집에 계시면 되지 뭐, 한 것이 3년이었다. 나도 싫지는 않았다. 애들도 봐주시고 가끔 밥 동무가 되어주시고 내 이야기를 유일하게 들어주시는 현명한 분이셨다.

어느 날 아버님이 우리 집으로 들어오시겠다고 하셨을 때 난 반대하지 않았다. 아버님도 남편의 아버지인데 우리 아버지 모시듯 하면 된다고 생각했다. 아버지는 "난 이제 어떻게 하나!" 단 한 마디뿐이셨다. "아버지는 같이 지내시면 되지. 아버지는 내 아버지고, 아버님은 사위 아버지인데 무슨 걱정이세요." 나는 단순하게 생각했다. 아버님이 오시고도 아버지는 6개월을 더 머무르셨다. 아침이면 쓰레기 버려주시고 아이들 차 태워주시고 청소기까지 밀고 나서야 노인정으로 나가셨다. 아버님을 모시고 같이 나가셨다가 점심을 드시고 저녁때가 되어서야 들어오시곤 하셨다. 그러던 어느 날 문득 아버지는 엄마가 계신 시골로 내려가셨다.

그 후로 아버지는 10년 동안 한 번도 우리 집에 오시지 않으셨다. 내가 사는 곳에 오실 때는 다니시던 노인정으로 부르거나 거리에서 만나 잠시 이야기를 나누시고는 바로 가시거나 언니네 집에 머무르시다 시골로 가셨다. 가끔 엄마가 전화하셔서 아버지가 병원 가신다고 했는데 안 들어오신다고 이런 날은 엄마랑 실랑이를 벌인 날이었다. 나는 병원으로 전화해 아버지가 입원해 계신 걸 확인하곤 했다. 답답하실 때면 병원에 며칠 입원해 계시다 시골로 내려가시곤 하셨다. 내가 수업 나간 사이 10년 만에 갑자기 아버지가 우리 집에 오셨다. 내가 집에 왔을 때 아버지와 아버님은 서로 손을 잡고 이야기를 나누고 계셨다. 아버지는 나를 보자 바로 사촌 오빠 집에 데려다 달라고 일어나셨다. 나는 저녁이나 드시고 가라고 애원했지만 끝내 거절하시고 일어나셨다. 나오시는 아버지에게 아버님은 현관까지 나오시며 “이제 한 번 오셨으니 옛일은 잊고, 자주 올라오세요. 또 놀러 오세요.” 하며 인사를 잊지 않으셨다.

나는 집을 나서며 사촌 오빠에게 전화를 드리고 바로 출발했다. 도착하니 오빠와 언니가 저녁을 차려 놓고 기다리고 계셨다. 사촌오빠는 아버지에게 큰아들과 같은 집안의 장손이다. 6.25 전쟁이 일어나자 큰아버지와 아버지는 같이 전쟁터에 참전하게 되셨고 아버지는 수류탄을 맞고 1년을 병원에 계시다 온몸에 파편이 박힌 채 돌아오셨다. 1.4 후퇴 당시 후퇴하는 군인들 속에 계셨다는 소식을 마지막으로 큰아버지는 끝내 돌아오지 못하셨다. 재가한 큰어머니에게서 오빠만 데리고 오셨다고 했다. 모두가 배고픈 시절이라 하셨다. 당시 작은아버지, 고모, 이모들에 외할머니까지 모두 아버지 어깨 위에 있어 장손인 큰오빠를 학교에 보낼 형편이 못 되었다고 글 선생을 붙여 간신히 한글만 떼었다고 그래서 늘 생인 손 앓는 손가락 같았다고 나중에서야 엄마에게 들은 이야기였다. 그런 큰 오빠가 어두운 동굴 같은 집에서 번듯한 집으로 이사했을 때 오시라고 그렇게 당부하셨는데 몇 달이 지나서야 오셨다고 너무 좋아하셨다.

나는 결혼 전 제사 때면 같이 음식을 준비하곤 했었는데 결혼하고 처음 와보게 되었다. 저녁을 서둘러 먹고 나는 자리에서 일어났다. 아버지는 오빠와 같이 주무시고 아침 일찍 내려가신다고 걱정하지 말라 하셨다. 다음 날 새벽 올케에게서 전화가 왔다. “아가씨, 작은 아버님 시골 가신다고 나가셨어요. 식사도 안 하시고, 제가 오늘 제주도 간다고 했더니 바로 일어나셨어요. 오빠는 일찍 출근하고, 어떻게 해요.” “언니 제가 바로 갈게요.” 난 잠시 머뭇거리다. “아버님 저 잠깐 아버지한테 다녀와서 아침 드릴게요.” 서둘러 차를 달렸다. 아니나 다를까 길거리에서 올케와 실랑이를 하고 계셨다. 언니에게 걱정하지 말라 하고 나는 아버지를 모시고 시외버스 정류장으로 갔다. 웬일인지 마음이 자꾸 ‘시골까지 모셔다드려야 하는데’ 싶은 마음에 자꾸 두 방이 쳤다.

그러나 아침도 못 드리고 나온 시아버님이 계시기에 중간 지점에 내려 드리며 시간을 보니 다음 버스까지는 족히 20분은 남았다. 아버지는 걱정하지 말라고 어서 들어가 시아버지 식사 챙기라며 손을 저으셨다. 아버지는 항상 그러셨다. 시댁과 친정집 일이 겹치면 시댁 일이 먼저라고, 항상 시 어른 잘 봉양하라고, 난 무거운 마음을 모르는 척하고 뒤돌아섰다. 그게 아버지의 마지막 모습이셨다.

집으로 돌아와 아버님 아침을 드리고 청소하고 한숨을 돌리려는데 막내 오빠한테 전화가 왔다. "야 너 어디야. 빨리 병원으로 와." 무엇을 어떻게 해야 할지 몰랐다. '아니 그 무슨 아버지와 헤어진 지 2시간이 채 지나지 않았는데...' 그때부터 나의 마음은 두방망이질로 나의 것이 아녔다. '아 모셔다드릴 걸, 그냥 모른 체하고 모셔다드릴 것을. 그놈의 밥이 무어라고.' 나는 속으로 커다란 가시 하나를 마음에 박아 넣고 있었다.

갑작스레 돌아가신 아버지의 빈자리는 내 마음에 아주 커다란 구멍으로 남아 나락으로 가라앉게 했다. 나는 나도 모를 어둠에 몸을 떨었고 눈물이 샘이 되었다. 나는 잠시 쉬고 싶었다. 내가 바란 건 단지 잠시 조금 쉬는 것뿐이었다. 너무 오래 계속 달리기만 했으니 이제 힘이 빠져 버렸다. 몸도 마음도 백지였다.

이야기 두 번째-나침반

신혜란

나는 사는 것이 항상 즐거웠다. 모든 것에는 의미가 있고 그 의미에 나의 역할이 있기에 모든 일에 힘이 되고 보탬이 된다고 생각했다. 그래서 늘 얼굴에는 함박웃음이 있었고 내가 아주 중요한 일을 하고 있다는 사명감에 마음이 늘 풍성하고 뿌듯함이 일관되고 있었다. 나의 마음은 말이다. 몸은 달랐다. 힘들고 지치고 매일 꾸벅꾸벅 졸고 이리 뛰고 저리 뛰고 종종종 걸음치고 하는 모습에 주변 사람들은 “아니 재는 왜 그런다니. 누가 시키는 것도 아닌데.” “조금 쉬어야 할 것 같은데. 너무 힘들어 보여.” “못 한다고 해. 너만 자식도 아닌데.” 그러면 난 늘 “아니 난 괜찮아.” “난 너무 좋아. 내가 하면 모두 행복하잖아.” “맛있게 먹잖아.” “내가 이걸 해줄 수 있어. 다행이지 뭐.” “내가 받는 것보다 해줄 수 있으니 다행이라 생각해.” “이왕 해줄 거라면 좋은 마음으로 하는 게 좋지. 난 괜찮아.” 하며 그렇게 내가 늘 웃을 수 있었던 것은, ‘나의 진심과 정성을 알아주겠지, 이렇게 열심히 하고 있으면 내가 정말 힘들 때는 두 손 걷어붙이고 도와주실 거야.’ 하는 강한 믿음이 있었기 때문이었다.

이렇게 나는 나의 잣대로 인생이라는 커다란 바다를 잘 건너고 있다고 생각했다. '선한 마음으로 나의 것을 나누어 주며 때론 모두 주며 같이하고 나눠 주고 도와주고 열심히 바르게'라는 인생의 나침반을 보며 최선을 다해 전력 질주하고 있었다. 매일 삶의 마지막 날인 것처럼 열심히 최선을 다해 살았다.

그러나 모든 것이 순간에 와르르 무너져 버렸다. 삶의 뿌리가 땅을 잃어버렸다.
나는 아팠다. 나의 마음이 아팠다. 잠시 쉬어야만 했다. 아주버님들께 아버님을 부탁드렸다. 아버님이 아프신 게 아니라 내가 아팠다. 처음으로 아프다는 말을 내놓았다. 아무런 답이 없었다. 모두 손을 놓았다. 물론 사정들이야 있겠지. 이러다 모든 짐을 떠안는 것은 아닌지. 겁도 났겠지. 생각하면서도 서운했다. '결혼 17년 차, 그동안의 나를 겪어 보고 나를 이정도 밖에 생각을 안 했었단 말인가? 어떻게 보았단 말인가?' 아, 혼란스러웠다. 마음에 상처가 깊어지기 시작했다. 아버님조차 미동도 안 하시려 했다. 다른 아들 셋은 누구도 나쁜 사람이 되기 싫어했다. 기다리던 신랑이 총대를 메었다. 같이 사는 자식이 '아버지 잠시 누나네 좀 있다 오세요.' 말을 뱉어야 했을 때는 얼마나 낯이 뜨거웠을까? 그래도 네 명의 남자는 대꾸가 없었다. "우선 집 사람이 살아야지요."

밖에서 듣고 있던 나는 눈을 껌뻑이며 미라 같이 앉아 처분만 기다리고 있었다. 그때 둘째 아주버님이 나오시더니 조용히 한마디 하시고 돌아가셨다. "제수씨 저는 우리 가족이 행복했으면 좋겠어요." "……."

처음 그 소리를 듣는 순간 '아, 내가 집안을 불행하게 만들었구나. 잘 지내던 형제간 사이를 갈라놓았구나. 모두 내가 잘못해서, 나만 조금 참으면 되는 것을.' 자책하기 시작했다. "우리 가족이 행복했으면 좋겠어요." 이 소리가 머리를 맴돌며 떠나지 않았다. 어머님 돌아가시고 홀로 계 때 7년 아버님을 집으로 모시고 10년간 집안의 대소사는 모두 우리 집에서 치렀다. 어머님의 제사, 설 명절과 추석 명절, 아버님 생신, 어버이날, 복달임, 연말 만두 나누기 기회만 생기면 모여 같이 밥을 먹고 함께했다. 일하고 있었던 나는 몸은 좀 고되어도 가족이 모여 웃고 같이 나눌 수 있어 그것이 행복이라고 믿었다. 무엇보다 시댁 식구들이 다녀가면 남편이 너무나 행복해했고 아버님이 좋아하셨다. 이렇게 좋아들 하는데 내가 어찌하지 않을 수 있을까! 행복해하는 모습을 보는 것을 상상하며 나도 행복하게 준비하곤 했다.

내가 마음에 구멍이 나지 않았다면 평생을 그렇게 살았을 것이다. 아버지가 돌아가시고 생긴 이 작은 구멍이 다른 가족의 보살핌으로 메꾸어져 갈 거라 믿었던 것은 나의 착각이었다. 아주버님들의 이 차가움이 무심함이, 죄책감이 이 작은 구멍을 자꾸만 벌려 놓고 있었다.

"우리 가족이 행복했으면 좋겠어요." 이 말이 무엇을 의미하는 걸까? '우리 모두 행복해지고 싶지.' '어떻게 하라는 것인가?' '내가 내 마음을 내 마음대로 한다면 무엇이 문제가 되겠는가?' 매일 길을 걸으며 무수히 생각하고 생각했다. 머리로는 '그래 하면 되지, 뭐가 문제인데.' 나도 문제의 중심을 알 수가 없었다. 우선 아버님의 얼굴을 매일 대하는 것이 너무 힘들고 괴로웠다. 해묵은 아버지와 아버님의 관계가 물 위로 떠올랐기 때문이었다. 아버님의 험담을 한 번도 하지 않았던 아버지. 아버지의 소식을 들은 노인정 할머니들 입을 통해 아버지 마음에 생채기를 만들었던 아버님의 이야기를 듣고 10년 동안 우리 집에 차마 발길을 못 했던 아버지에 대한 미안한 사무침이 나를 더욱 힘들게 했다.

그때 시누에게서 전화가 왔다. “힘들지 올케, 내가 다 알아, 나도 시어머니 병간호하다 허리가 병나고 했었잖아. 그래서 애 아빠가 밥상 들고 왔다 갔다 했어. 이제 돌아가시고 나니 지나가더라.” “네. 알았어요. “그래, 부모한테 잘하면 그게 다 자식한테 가더라. 아버지가 사시면 얼마나 사시겠어. 조금만 참아” “……. 네” ‘아, 이게 뭐지. 분명 위로의 말이었는데.’ 나의 구멍은 점점 더 크고 깊어갔다.

그 날부터였나 보다. 내가 밤길을 걷기 시작한 것이, 저녁을 먹고 잠자리에 들었다 터질 것 같은 심장을 부여잡고 살그머니 문을 열고 차가운 밤길 나섰던 것이. 본래 나는 어두운 것을 무서워한다. 나는 단, 한 번도 혼자 밤을 보낸 날이 없었다. 그런 내가 아무도 없는 공원의 밤길을 혼자 걷고 또 걸었다. 달무리를 보았던 그 날에서야 나는 항상 나를 뒤 따르던 그림자가 있었던 것을 알게 되었다. 나의 손을 잡았던 사람을….

얼마 후 시누에게서 다시 전화가 왔다.
“올케 많이 아프다며, 아버지 우리 집에 잠깐 와 계시라고 해.”
“네 형님. 감사해요. 그런데 아버지가 안 가시겠다고 하시니”
“알았어! 내가 올라갈게.”

결국, 아버님은 형님이 오시고 나서 몸을 일으키셨다. 한 달을 형님댁에 계셨던 아버님은 다시 돌아오셨고 나의 구멍은 조금도 작아지지 않고 있었다. 나의 삶의 뿌리는 여전히 땅을 잃고 있었다. 나는 사람이 주는 마음의 배신감에 삶이 좌절이었고 삶의 의욕을 잃었다. 나중에 되돌아보니 가장 무서웠던 기억은 나의 전부였던 나의 사랑하는 나의 아이들조차 의식하지 못하고 있었다는 것이었다. 나는 아무것도 보이지 않는 안개 속에 갇혀 있었다. 안개 속에 그대로 멈춰 있었다. 나에게 보여준 시댁의 사람들은 내가 갖고 있던 인생의 길잡이 나침반이 고장이 난 것이었다고 이야기한 것 같았다.

'나는 지금까지 무엇을 위해 살아왔던가?' '난 이제 어떻게 살라는 것인가?' '그 길은 맞는 길일 것인가?' '지금까지의 내 신념을 버릴 수 있을 것인가?' 내 삶의 뿌리가 흔들렸다. 거침없이. 잠시 내 나침반이 고장이 난 것일까? 고장이 난 나침반을 보고 항해하고 있었던 것일까?

세 번째 이야기-나를 찾아서

신혜란

내가 안개 속에 멈춰 있는 사이 작은 아이의 마음은 자꾸 우울해져 갔다. 허공 속에 있는 엄마의 눈을 보았을까? "엄마 나를 봐." 매달리고 있었다. 아이를 데리고 상담실에 들어섰을 때 선생님은 작은애와 이야기를 나눈 뒤 다른 선생님과 연결을 시켜주셨다. "조금 기다려 보세요. 마음을 곧 열을 거에요." "네. 모두 제 잘못이죠." "아니요. 어머니 잘못 아닙니다. 누구나 쉬고 싶을 때가 있지요."
"네 쉬고 싶어요." "아이는 금방 제 자리로 올 거예요. 그런데 어머니, 어머니가 먼저 쉬어야 할 것 같아요." "네, 이리저리 보아도 방법을 모르겠어요. 앞이 보이지 않아요." "혼자 너무 애쓰지 마세요. 힘들 때는 손을 내미세요." "저 그렇게 못해요. 도와줄 사람도 없고 더는 남편을 힘들게 하고 싶지 않아요. 저도 알아요. 회사 일에 아버님에 저까지 남편은 저보다 더 힘이 들겠지요." "남편 분은 어머니 마음을 알고 있나요?" "아니요, 힘들어하는데 왜 힘들어하는지 모르죠. 그러니 계속 반복되고 제자리에 돌아오고 자꾸 쌓여가요." "마음이 어떠신데요?" "저도 제 마음을 모르겠어요. 무엇이 문제인지 딱히 드러내놓고 표현할 수가 없어요. 그래서 더 답답해요." "암입니다. 선고를 받으면 그 암을 도려내고 치료 방법을 찾으면 되지만 마음은 그렇지 못하지요." "네, 다른 사람이 보면 제 사는 모습이 뭐가 문제야, 할거에요. 정말 그래요. 그런데 저는 죽을 것 같아요." "그렇죠, 같은 문제에 부딪혀도 아무렇지도 않은 사람이 있고, 나는 죽을 것처럼 너무 힘들거든요. 그럴 때는 외부의 도움을 받는 것도 나쁘지 않습니다." 그렇게 나는 작은아이의 아픔을 지푸라기라도 잡고 물에 손을 넣어 배를 밀기 시작했다. "나는 최선을 다해 열심히 살았는데 왜 그것을 외면할까요?" "어머님이 시댁을 위해 열심히 사신 것 잘하신 거예요. 그런데 말이에요 어머니, 막내며느리인 어머님이 항상 큰일을 준비하시고 치르고 하실 때 형님들의 마음은 어떠셨을까요?" "고맙다고 하셨어요." "고맙죠, 고마운 마음만 있을까요?" "미안하다고 했어요." "그리고 또 어떤 마음이 있을 수도 들기도 했을까요?" "어…."
난 한동안 말을 하지 못했다. 다른 마음 그게 뭐 있을 것이 있나…? "재수 없어." 나도 모르게 튀어나와 버렸다. 그렇구나! 재수 없을 수도 있겠구나. 나는 단, 한 번도 그런 마음이 있다는 것을 상상조차 해보지 못했다. 아 나는 내가 생각하는 데로만 세상을 보고 있었구나! 다른 사람이 모두 생각하고 있는 것을 나는 생각을 못 했다. 듣고 나면 너무 당연하다고 생각하는 일들을….

"마음을 표현해 보세요. 작은 거라도 나의 마음이 말하는 걸 상대에게 자꾸 이야기해 보세요."

상담하는 날이면 집으로 돌아와 남편에게 이야기하고 또 이야기하며 그래서 이랬구나, 아 그랬어. 반복되는 이야기 속에 답을 찾으려 되풀이하고, 되풀이하고 있었다.

그렇게 1년을 했던 이이기를 하고 또 하고 묻고 또 물으며 안개를 잡으려 무던히 노력했다. 지쳐갈 무렵 어느 날 용기를 내 "형님들에게 제 마음을 이야기하고 풀어야겠어요. 어쨌든 현재 제 마음이 불편하니까요." 하지만 선생님의 목소리는 단호하셨다.

"아니요, 어머니는 안돼요. 아직 준비되어 있지 않으세요."

"아니요. 제 마음을 이야기하고 너무 서운하고 아팠다고 말할 수 있어요."

"그러면 뭐라고 하실까요?"

"음, 그동안 저를 보았고 아시니 미안하다고 하지 않으실까요? 저는 그거면 되거든요."
"그래서 어머님 안 된다고 말씀드리는 거예요. 어머님은 주황색이면 주황색, 분홍색이면 분홍색으로만 보시는 분이세요. 그렇지만 세상은 주황색, 분홍색만으로 보이는 게 아니에요. 그래서 아마 더 큰 상처를 받으실 수 있으세요."

돌아오며 곰곰이 생각해 보았다. '아직 내가 세상을 잘 모르는구나.' 어렸을 적부터 나는 항상 울타리에 쌓여 보호받고 있었다. 그건 나도 안다. 어려서 부모님과 떨어져 도시로 나와 학교 다니고 직장 다니고 그 옆에 있던 언니, 오빠들은 어린 나에게 보이지 않는 커다란 울타리였다.

결혼 후에는 남편의 울타리 속에 주어진 그 담 안에 살았다. 왜 나는 모든 걸 다 하려고 했을까? 힘이 들 때는 힘들다고 못 한다고 말하지 못했을까? 하기 싫을 때 하기 싫다고 말하지 못했을까? 이렇게 나를 찾기는 또 1년을 훌쩍 넘기고 있었다. 어릴 적 나를 떠올리면 항상 집안일을 하고 있었다. 엄마를 따라 밭에, 바다에, 산에 따라다니며 엄마를 도와주고 있었다. 때론 친구들과 너무 놀고 싶은데 나는 할 일들이 너무 많았다.

“어린 나이였는데 왜 그랬을까요? 보통 친구들과 놀러 가고, 안 한다고 떼를 썼을 텐데요.”
“응, 그건 엄마를 도와주고 싶어서 였을 거예요. 엄마는 항상 일하고 계셔서 안쓰러웠거든요. 내가 조금이라도 도와드리면 엄마가 힘이 덜 드실 것만 같았거든요.”
“엄마를 많이 사랑했네요. 엄마가 많이 좋아하셨겠어요.”
나는 머뭇거렸다. “아니요.”
“왜요, 어린 딸이 밥을 해놓기도 하고, 청소를 해주기도 하고, 같이 밭에서 도와주기도 했는데.”
“그죠, 동네 사람들은 언제나 저를 칭찬했어요. 너무 착하다고, 일 잘한다고, 이쁘다고.”
“어머니도 그런 마음이었을 거에요.”
“아니요.” 난 단호하게 말했다.
“엄마는 항상 제가 잘한 부분은 말씀 안 하셨어요. 다른 것을 요구하셨어요. 제가 밥을 해놓으면 ‘애고 애썼네.’ 하실 줄 알았는데 빨래는 왜 아직 안 걷어다 두었냐며 하며 화를 내셨죠. 마루를 닦아놓으면 그것은 안 보시고 마당이 지저분하다고 잔소리를 하셨죠.” 순간 나는 울컥했다. ‘내가 어린 나이에도 지금과 같은 모습

이었구나, 나는 없었네. 동동거리며 열심히 일한 이유가. 엄마 저 여기 있어요. 저 좀 봐 주세요.'

"엄마한테 칭찬받고 싶었네요. 사랑받고 싶어서였네요."

나는 나도 모르게 저 깊은 곳에 있던 나의 마음을 처음으로 만나게 되었다.

"그러고 보니 내 기억 속에 '안돼요' '못해요' '싫어요'를 해 본 적이 없네요. 나를 좋아하지 않으면 어쩌지 하는 두려움이 있었던 것 같아요."

"그럼 나는 어떻게 해야 하나요?"

"사람에게는 표현하는 방식이 여러 가지가 있어요. 예를 들어 사랑이라는 말을 '사랑해' 말로 표현하기도 하고요. '봉사'라는 방식으로 무엇인가 끊임없이 주는 방법을 택하기도 하고요. 안아주거나 다독여 주고 체온을 느끼게 해주는, 물질적 선물을 중요하게 생각하게, 시간을 같이 보내는 것을 중요하게 느끼는 사람이 있어요.

그런데 이 '사랑의 언어는' 사람마다 중요하게 생각하는 성향이 다 달라요. 나와 같은 사랑의 단어를 택하는 사람과 있으면 서로 뜻이 맞아 마음이 편하겠지요. 내 마음을 알아주는 것 같거든요, 하지만 다르다면 상대의 마음을 이해하기 쉽지 않죠. 어머님과 어머니 사이에도 그럴 수 있지 않았을까요."
"저는 따스한 말 한마디 위로가, 칭찬이 필요했어요. 등 한번 다독여 주셨으면 했을 뿐이었는데."
"어머님은 어떠셨을까요?"
"엄마는 물질적 지원을 가장 중요하게 생각하셨던 것 같아요."
"그러셨군요."

나는 이렇게 조금씩 나도 몰랐던 나를 찾아가고 있었다. 내가 원하는 것이 무엇인지. 내가 하고 싶은 것이 무엇인지. 내가 할 수 있는 것이 무엇인지. 내가 해도 되는 것이 무엇일까? 내가 어떻게 해야 하나? 그러면 하는 순간 나는 나의 아이들이 마음에 다시 들어왔다. 나는 사랑하는 내 아이와 마음을 나누고 있었는가? 아이가 원하는 것은 무엇인가? 지금 순간 내게 '가장' 중요한 것이 무엇인가? 2년간 내가 마음을 방황하고 있던 시기 우리 큰아이는 사춘기를 맞고 있었고 나의 도움이 필요했는데 나는 그것을 외면하고 있었던 것이었다.

이제 뿌연 안개에서 나오지 않으면 안으면 가장 소중한 것을 잃을 것 같은 두려움이 희미한 빛으로 다가오고 있었다. 내게는 사랑하는 아이들과 항상 옆에서 지켜보고 기다리는 남편이 있다는 것을 느껴지기 시작했다. 선생님은 말씀하셨다.

“어머니, 어머님도 엄마의 역할을 배우시기 전에 엄마가 되셨으니 서투르셨겠지요. 그리고 평생을 그렇게 살아오신 분이세요.”
“네 엄마도 변화하기 쉽지 않으시겠네요.”
“그러나 희망은 있지요. 내가 변화하면 달라질 수 있지 않을까요?”
“쉽지 않겠지만 조금씩 서두르지 않고 노력해 볼게요. 우리 아이들을 위해 아니 저를 위해서요.”

네 번째 마지막 이야기-나로 살기

신혜란

일상적인 평범한 이야기가 뭐 누구나 이정도의 어려움이나 힘든 일들은 있는 거 아냐. 할 수 있다. 그러나 이 평범함이 누구에게는 저 깊은 바닥까지 내려가는 일이 될 수도 있고, 그냥 주변에 머무를 수도 있다. 또 그 바닥에서 차고 올라올 수도 있고 그대로 가라앉을 수도 있다. 이러한 선택이 나의 마음먹기에 달린 것처럼 보이겠지만 말처럼 쉬운 것은 아니다.

문제의 앞에 선다면 모두 같은 선택을 하게 되는 것도 아니다. 뒤집어 보면 짙은 안개 속에 갇힌 망망대해에 서 있을 때 그곳에 그대로 머무를 것인지, 앞으로 나아갈 것인지는 내가 선택할 수 있다는 것이다. 나침반이 고장 났다고 실망하지 않아도 된다. 방향을 제시해 주는 나침반은 영원하지 않을 수 있다. 그 방향이 내가 원하는 방향이 아닐 수도 있다. 다시 돌아올 수도 있다. 그 자리에서 뱅뱅 돌고 있을 수도 있다.

그러나 움직임이 시작되었다면 안개는 걷히기를 준비하고 있는 것이다. 나침반이 고장 났다고, 나침반이 없다면 다른 방법을 찾으면 길이 보일 수 있기 때문이다. 우리 사람에게는 이겨내려는 힘이 또 다른 행운이 찾아올 수 있기 때문이다. 안개 자욱한 하늘에 작은 점으로 보이는 북두칠성을 찾을 수도 있고 파도에 일렁이다 불어오는 순풍이 안개를 걷어 내줄 수도 있다. 아니면 거센 태풍이 다가와 더 위태롭게 만들 수 있기도 하다.

바람은 멈추고 안개는 걷히고 다시 해는 떠올라 푸른 바다를 드러낼 것은 자명하다. 저 푸른 수평선 멀리 육지가 보이기도 할 것이고 아직 넓은 바다 위에 있을 수도 있다. 나는 노를 저어 원하는 곳으로 나아갈 수 있으리라. 주위를 살펴보면 나와 함께하는 사람이 있고, 손을 내밀고 기다리는 이가 있고, 나를 지켜봐 주고 있는 사람이 있고, 나의 손길을 기다리는 사람이 있을 것이다. 나는 혼자가 아닐 것이다. 내가 눈을 뜨고 손을 잡고 같이 할 때 더 큰 의미가 있고 힘이 될 것이다.

행복이라는 씨앗이 싹 틔울 수 있도록 힘이 되어 주기를 바란다면 먼저 행복의 씨앗을 소중히 담아 주는 일부터 시작하자. 나는 행복한 사람이다. 내게는 작은 빛이 되어 준 아이들이 있었고 안개를 걷어준 남편이 있었고 같이 노를 저어줄 많은 사람이 늘 있었다. 평범한 일상 속에서 그 소중함을 느끼지 못하고 당연하게 여겼을 뿐이지, 기나긴 여행 후에야 이 많은 소중한 행복의 씨앗이 가득 들어 있다는 것을 알게 되었다. 하나하나의 씨앗이 내게 얼마나 소중한 것인지를 알게 되었다.

이제 내가 할 일은 이 소중한 씨앗을 하나하나 싹을 틔우고 가꾸는 것이다. 다시 새로운 씨앗을 맺어 바람에 후후 날려 보내면 또 다른 이가 이 씨앗을 나눠 받을 수 있도록 말이다. 나의 씨앗을 건강하고 튼튼하게 만드는 밭을 만들기 위해. 그래도 아주 작은 씨앗이 남아도 싹틔우지 못하는 씨앗이 나와도 안타까워하지 않고 그대로 바라봐 주고 다른 모습으로 성장할 수 있도록 살짝 손을 잡아 주고 싶다. 내게 손을 내밀어준 누군가처럼. 나는 나다. 오늘도 나는 나로 살고 있다. 오늘도, 내일도 나는 나로 살기로 했다.

일상에서 찾은 작은 행복

심홍윤

하루하루 일상이 틀에 짜인 듯 변함이 없다. 일상이 지루할 것 같지만 바빠서 전혀 않다. 매일 새로운 느낌이다. 두 아들이 105동과 106동에 산다. 작은아들은 손녀가 중·고생이라 돌보아 줄 필요가 없다. 큰아들 손자가 10살 손녀가 여섯 살이다. 청라 집은 전세 주고 작은 아들과 동거 중이다.

큰아들 아이들을 돌보면서 작은아들하고 사는 것은 아들이 경제적으로 힘든 상황이기 때문이다. 안방과 거실 공간을 전세 임대 중이다. 더 중요한 것은 며느리가 편하기 때문이다. 월요일부터 금요일 오전까지 큰아들 집에 출근해서 손주 등교시키고 유치원생 손녀 등원은 두 정거장이나 걸어서 보낸다. 직장이라고 생각한다. 일은 철저하게 해주고 월급을 받는다. 등원시키고 가정역에까지 걸어가서 지하철을 타고 여성회관 역에 하차한다. 두정거장 거리를 걸어가서 가게 일을 도와준 다음 점심 식사 후 카페 가서 커피 한잔 시켜놓고 1시간을 여유롭게 보낸다. 주인과 대화도 나누고 시집도 읽으면서 보내는 귀중한 휴식 시간이다.

다시 가게로 가서 4시 반까지 일을 하다 퇴근을 서두른다. 태권도 학원 버스가 오면 손녀를 데리고 판다 놀이터에 친구들과 여섯 시까지 놀고 있는 동안 젊은 엄마들과 정보도 공유하고 아이들에 관한 이야기를 한다. 집에 오면 애들 목욕시키고 저녁 먹고 빨래, 청소 등 양손이 모자란다. 며느리 오기 전에 아이들 공부도 잠깐 보아주고 나면 몸이 힘들다고 신호를 준다.

일주일에 두세 번 큰아들 가게 청소하고 외출할 때 가게도 잠깐 봐준다. 큰아들 때문에 시간은 매일 모자란다. 큰 며느리가 착하긴 하지만 융통성이 없어 시어머니에 대한 배려가 전혀 없다. 아들이 잘해서 그렇지 화가 머리끝까지 오를 때도 있다. 그러면 난 권사님이야 하고 싱긋 웃고 참는다. 얼마나 융통성이 없으면 아이들 교회 갔다가 점심 먹고 보내도 밥상 한번 차려준 적이 없다.

결혼 전에는 아들하고 영화도 보고 피자도 먹으러 가서 행복했다. 큰아들은 동생이 샘이 날 정도로 잘한다. 중학교 다니는 조카를 1년 내내 청라 중학교까지 등교를 시켜준다. 내가 여행 가고 싶으면 두 아들은 언제나 두말없이 해주어서 힘들어도 위안이 된다. 틈을 내서 글, 시, 그림도 배운다. 주일이면 아이들 셋 태우고 가서 교회 간다. 나만큼 바쁘면서 긍정적으로 사는 사람은 흔치 않다. 토요일에 손주 바이올린 레고 학원을 보낸다. 가게 휴일인 화요일은 제일 바쁘다. 남편은 손녀를 돌보고, 나는 서구 도서관에 백일장 글쓰기 강의를 듣는다. 4시에 나와서 손주 논술 학원 보내느라 바쁘다. 운전을 할 수 있어 천만다행이다. 같이 살고 있는 며느리가 편하다. 가끔 맛있는 음식도 만들어 주고 시아버지 술친구도 해준다. 더 고마운 것은 월급날 오십만 원을 준다. 며느리가 월급 줘서 늘 고맙다.

집에 오면 편안한 느낌이 좋다. 대화의 창이 열려있어 좋다. 속내를 감추지 않아서 서로 편하고 믿음이 있어 좋다.

하루 일상이 너무 바쁘다. 그러나 큰아들은 나를 배려해주고, 작은아들은 가끔 밖에 나가서 외식도 시켜주면서 같이 여행도 가준다. 일상이 바쁜 만큼 기쁨도 행복도 다가온다. 바쁜 일상 속에서 나는 작은 행복을 찾으려 한다.

설악산 가족 여행

심홍윤

2023년 십이월 초, 가족 여행을 떠났다. 설악산 가까운 곳 금호 리조트에 예약했다. 가는 길에 눈이 내렸다. 차 안에서 멀리 바라본 설악산은 와~ 소리가 나올 정도로 아름답다. 낙산 해수욕장 주차장에 차를 세웠다. 집채만 한 파도가 밀려왔다. 괴성을 지르고 모래사장을 뛰었다. 목소리가 파도 소리에 묻혔다. 세찬 파도 소리가 귓가에 울리고 평생 이렇게 멋진 광경은 처음이자 마지막일 것 같다.

갈매기가 옹기종기 앉아 바람을 피하고 먹을거리를 찾는 것 같다. 낙산 해수욕장을 떠나 속초항에 갔다. 눈도 그치고 보슬보슬 비가 내렸다. 날씨가 초봄 날씨 같이 따뜻했다.

시장 가기 전 유명한 아바이 순대를 먹으러 갔다. 큰 가게가 아닌 허름한 가게에 들어갔다. 아바이 순대 국밥에 가자미 식혜 막걸리 한잔에 밑반찬도 꽤 맛있다. 아들하고 남편은 술 한 잔씩 먹어서 내가 운전을 했다.

다리 밑에 차를 세워 놓았다. 아저씨 한 분이 배 위에서 줄을 잡아다니면 시장을 건너갈 수 있다. 줄을 잡아당겨 같이 도왔다. 요금은 오백 원이다. 시장 치킨집과 호떡집에 많은 사람이 줄을 섰다. 오징어 회와 대 방어회를 시켜 먹었다. 한 바퀴 돌고 나서 리조트에 왔다. 속초항은 따뜻한 날씨로 내리는 눈이 녹았다. 리조트에서 설악산을 봤다. 울산 바위도 보였다. 아래 마을은 눈도 없고 따뜻하고 평온하다.

우리나라 설악산 맞아? 아들한테 말했다. 알래스카로 여행 온 것 같다. 환희의 소리가 터졌다. 하룻밤 자고 설악산에 올랐다. 눈을 보기 위해 많은 인파가 몰렸다. 산 아래 지역은 눈이 없다. 설악산에 올라가니 눈이 얼마나 많이 내렸는지 눈이 부셨다.

설악산 권금성이 있는 정상 길에 가려고 케이블카를 기다렸다. 많은 사람이 설경을 보기 위해 줄을 섰다. 오랜 기다림 끝에 케이블카를 탔다. 많은 눈이 내려 온 산이 설경으로 뒤덮였다. 크고 작은 나무들이 하얀 옷을 입었다. 케이블카에 내려서 권금성 가는 길은 아슬아슬하고 험준했다. 한발 한발 정상으로 향했다. 하얀 눈 속에 얼음 악마가 도사렸다. 미끄러워서 다리가 휘청거렸다. 중간 정도 오르고 나서부터는 젖 먹던 힘까지 동원했다. 포기할까 말까 자신과의 싸움을 했다. 포기하면 여기까지 온 보람이 없다. 드디어 정상까지 올랐다. 아래 전경을 보니 감탄사가 절로 터져 나왔다. 산행은 힘들어도 포기하지 않으면 자연의 아름다움을 바라보고 느낄 수 있다.

겨울 속초 여행에서 여러 가지 경험을 했다. 가족과의 여행이라 더 따뜻하고 감사했다. 힘들어도 가족 여행 계획을 세워 다시 추억을 만들어야겠다.

3부 그림책을 만나다

오늘은 뭐 하지?

이미선

아침이 밝았어.
엄마는 큰 가마솥에 일곱 식구가
먹을 보리 섞은 밥을 안쳤어.
"선미야! 솥에 불 좀 때 줄래?"
선미는 졸린 눈을 비비며 장작개비로 불을 땠지.

상은 두 개야.
마주보는 작은 상
둘러앉은 큰 상
"쉿!, 밥상머리에서 조용히 해야 돼."

학교 가는 시간
오빠들 줄줄이 학용품비 받아가고
그만, 돈이 똑떨어졌대.
"어, 난 어떡해?"
울먹울먹 학교에 갔어.

학교 운동장
플라타너스 나무아래,
교실에서 쏟아져 나온 아이들
공기놀이, 고무줄놀이를 하고 있어.
선미는 뭐하지?

하굣길엔
큰 도로 길, 논둑길, 배 과수원길 돌아
묘지길 지나 매실나무 따라가면 우리 집.
"엄마! 할머니!"
"어! 아무도 없네."

선미는
엄마랑 할머니 찾아 물 한 주전자 시원하게 담아들고
냅다 달렸어

한 집 두 집 세 집 앞을 지나
좁은 논둑길을 아슬 하게 건너
날아오르는 참새에게 손을 흔들어 주었어.

가까이에 콩밭이 보이고
쉿! 살금살금 콩 콩 다가가

"엄마!," 하고 큰 소리로 불렀어.
엄마는 반갑게 돌아보며
"마침, 잘 왔다. 목말랐는데...." 했어.

할머니 물 한 모금
엄마도 물 한 모금
한 숨 쉬어가는 동안에
선미는 밭고랑을 요리조리 뛰어다녔어.

초록배추벌레랑 지렁이랑
조그만 벌레들이랑 꿈틀꿈틀.
어디까지 가는 거니?
엄마랑 할머니는 들일 마치고 일어서는데
선미는 앞서서 뛰어가고 있어.
엄마가 소리쳤어.
"선미야! 자빠질라."

하늘은 점점 붉게 물들고
해 그림자는 선미보다 앞서가고 있어.

2023년 읽고 쓰는 그림책 여행